地図

都道府県名（県庁所在地名）

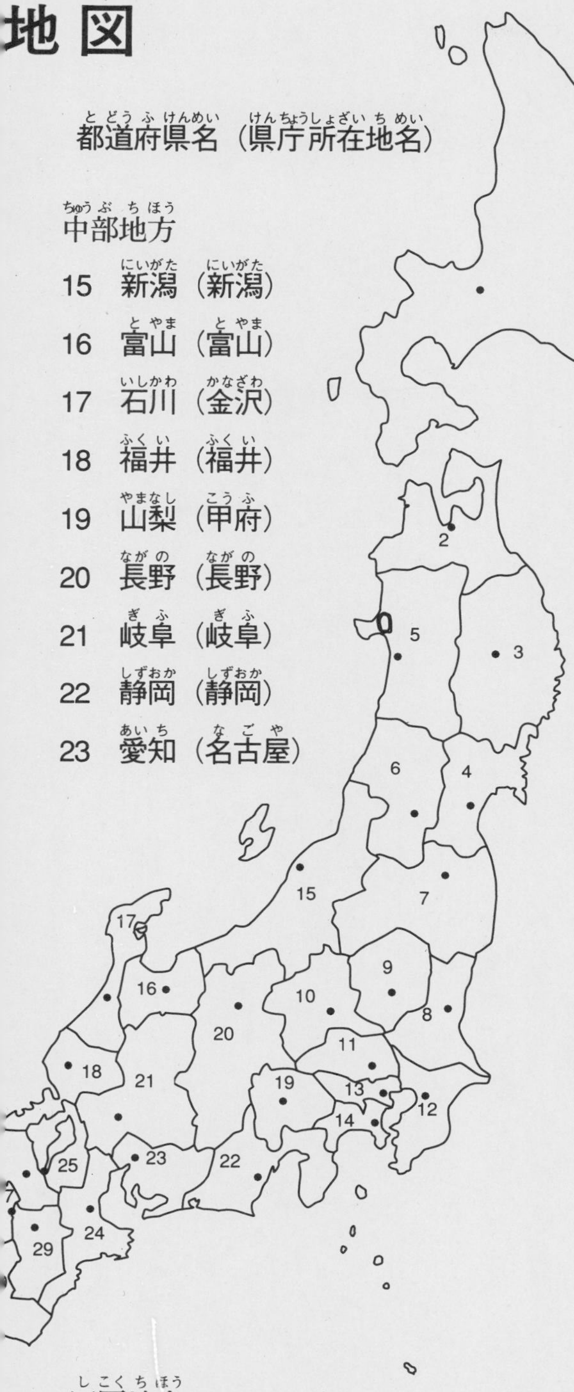

北海道地方

1　北海道（札幌）

東北地方

2　青森（青森）
3　岩手（盛岡）
4　宮城（仙台）
5　秋田（秋田）
6　山形（山形）
7　福島（福島）

関東地方

8　茨城（水戸）
9　栃木（宇都宮）
10　群馬（前橋）
11　埼玉（さいたま）
12　千葉（千葉）
13　東京（東京）
14　神奈川（横浜）

中部地方

15　新潟（新潟）
16　富山（富山）
17　石川（金沢）
18　福井（福井）
19　山梨（甲府）
20　長野（長野）
21　岐阜（岐阜）
22　静岡（静岡）
23　愛知（名古屋）

四国地方

36　香川（高松）
37　徳島（徳島）
38　愛媛（松山）
39　高知（高知）

Minna no Nihongo

みんなの日本語

初級Ⅰ 本冊

スリーエーネットワーク

Published by 3A Corporation.
Shoei Bldg., 6-3, Sarugaku-cho 2-chome, Chiyoda-ku, Tokyo 101-0064, Japan

ISBN978-4-88319-102-4 C0081

First published March 1998
Printed in Japan

まえがき

本書は、『みんなの日本語』という書名が示すように、初めて日本語を学ぶ人が、だれでも楽しく学べるよう、また教える人にとっても興味深く教えられるように3か年以上の年月をかけて企画・編集したもので、『新日本語の基礎』の姉妹編ともいうべき本格的な教科書です。

ご存じのように『新日本語の基礎』は技術研修生のために開発された教科書であるにもかかわらず、初級段階の日本語教材として、内容が十分整備され、短時日で日本語の会話を習得しようとする学習者にとって、学習効率が抜群によいところから、現在も国内はもちろん海外でも広く使われております。

さて、近年日本語教育はますます多様化してきております。国際関係の発展に伴い諸外国との人的交流が深まる中、さまざまな背景と目的を持つ外国人が日本の地域社会に受け入れられてきています。このような外国人の増加による日本語教育をめぐる社会環境の変化はまた、それぞれの日本語教育の現場にも影響を及ぼし、学習ニーズの多様化と、それらに対する個別の対応がもとめられています。

このような時期にあたり、スリーエーネットワークは、国の内外で長年にわたり日本語教育の実践に当たってこられた多くの方々のご意見とご要望にこたえて、『みんなの日本語』を出版することとなりました。すなわち、『みんなの日本語』は『新日本語の基礎』の特徴、学習項目と学習方法のわかりやすさを生かすとともに、会話の場面や登場人物など、学習者の多様化に対応して、より汎用性の高いものとするなど、国の内外のさまざまな学習者と地域の特性にも支障なく、日本語の学習が楽しく進められるように内容の充実と工夫を図りました。

『みんなの日本語』の対象は、職場、家庭、学校、地域などで日本語によるコミュニケーションを今すぐ必要としている外国人のみなさんです。初級の教材ですが、登場する外国人のみなさんと日本人の交流の場面には、できるだけ日本事情と日本人の社会生活・日常生活を反映させるようにしました。主として一般社会人を対象にしていますが、もちろん大学進学の予備課程、あるいは専門学校・大学での短期集中用教科書としてもお勧めできるものです。

なお、当社では学習者の多様性と現場の個々のニーズにこたえるため、今後も引き続き新しい学習教材を積極的に制作してまいりますので、変わらぬご愛顧をお願い申しあげます。

最後に、本書の編纂に当たりましては各方面からのご意見、授業での試用など、多大のご協力をいただきました。ここに深く感謝申し上げます。スリーエーネットワークはこれからも日本語学習教材の出版等を通じて、人と人とのネットワークを全世界に広げて行きたいと願っております。

どうか一層のご支援とご鞭撻をお願い申し上げます。

1998年3月

株式会社スリーエーネットワーク

代表取締役社長　小　川　　巖

凡例

Ⅰ．教科書の構成

『みんなの日本語 初級Ⅰ』は「本冊」、「翻訳・文法解説」、及び「カセットテープ」／「CD」よりなる。「翻訳・文法解説」は英語版をはじめとして全部で10ヵ国語が揃っている。

この教科書は日本語を聞く、話すということを中心に構成されている。従って、ひらがな、かたかな、漢字などの文字の読み書き指導は含んでいない。

Ⅱ．教科書の内容及び使い方

1．「本冊」

1）日本語の発音

日本語の発音上注意すべき点について、主な例を提出してある。

2）教室の指示のことば、毎日のあいさつと会話表現、数字

教室での指示、日常の基本的あいさつなどでよく使われるものを掲げた。

3）本課

第1課から第25課まであり、内容は以下のように分けられる。

① 文型

その課で学ぶ基本文型が掲げてある。

② 例文

基本文型が実際にどのように用いられているかを質問及び答えという小さい談話の形で示した。また新出の副詞や接続詞などの使い方や基本文型以外の学習項目も示されている。

③ 会話

会話には日本で生活する外国人が登場し、様々な場面を繰り広げる。各課の学習内容に日常生活に使用されるあいさつなどの慣用表現を加えた。

平易な会話であるから、全文暗記することが望ましい。余裕があれば、「翻訳・文法解説」中の参考語彙を利用して、会話を発展させ、幅広い会話力を身に付けてほしい。

④ 練習

練習はＡ、Ｂ、Ｃの三段階に分かれる。

練習Ａは文法的な構造を理解しやすいように、視覚的にレイアウトした。基本的な文型の定着を図ると共に、活用形の作り方、接続の仕方などを学びやすく配慮した。

練習Ｂでは様々なドリル形式を用いて、基本文型の定着の強化を図る。指示された例に従って練習すること。☞の印の付いた番号は絵チャートを用いる練習を示す。

練習Ｃは文型が実際にどのような場面、状況の中で、その機能を果たすかを学び、発話力につなぐための短い会話ドリルである。単にリピートするだけでなく、モデル文の代入肢を変えたり、内容を膨らませたり、さらには場面を展開させたりする練習を試みてほしい。

⑤ 問題

問題には、聞き取り（ 👂 マークの箇所）問題、文法問題及び読解問題とがある。聞き取りはテープ／CDを聞いて、短い質問に答える問題と、短い会話のやり取りを聞いて要点を把握する問題とがある。これらは聞き取りの力の強化を図るために設けた。文法問題では、語彙や文法事項の理解を確認する。読解問題は既習語彙、文法を使った平易な文を読んで、その内容に関する質問に答える。

⑥ 復習

数課ごとに学習事項の要点を整理するために設けた。

⑦ まとめ

巻末に、この教科書に提出された助詞や、動詞のいろいろなフォームの使い方、副詞や接続詞などの文法事項を項目ごとにまとめ、例文を掲げた。

⑧ 索引

「教室の指示のことば」、「毎日のあいさつと会話表現」、「数字」をはじめ、各課の新出語彙、表現などが各々の初出課と共に載せてある。

2．「翻訳・文法解説」

1）日本語の特徴、日本語の文字、日本語の発音についての説明

2）「本冊」中の「教室の指示のことば」及び「毎日のあいさつと会話表現」の翻訳

3）第1課から第25課までの
　① 新出語彙とその訳
　② 文型、例文、会話の翻訳
　③ その課の学習に役立つ参考語彙と日本事情に関する簡単な紹介
　④ 文型及び表現などに関する文法説明

4）「本冊」の終わりに掲げられた助詞、フォームの使い方、副詞及び接続詞などのまとめの翻訳

5）数字、時の表現、期間の表し方、助数詞などについて、「本冊」では扱わない項目を加え、整理した。

3．カセットテープ／CD

カセットテープ／CDには各課の新出語彙、文型、例文、練習C、会話、問題の聞き取り部分が収録されている。語彙、文型、例文ではアクセント、イントネーションに注意して発音を学び、練習C、会話では自然な速さの日本語に慣れ、聞き取りの力を付けてほしい。

4．表記上の注意

1）漢字は原則として、「常用漢字表」による。
①「熟字訓」（2文字以上の漢字を組み合わせ、特別な読み方をするもの）のうち、「常用漢字表」の「付表」に示されるものは漢字で書いた。

例：　友達（ともだち）　果物（くだもの）　眼鏡（めがね）

② 国名・地名などの固有名詞、又は芸能・文化などの専門分野の語には、「常用漢字表」にない漢字や音訓も用いた。

例：　大阪（おおさか）　奈良（なら）　歌舞伎（かぶき）

2）「常用漢字表」及び「付表」に示される範囲で漢字を用い、振りがなを付けたが、学習者の読みやすさを配慮して、漢字を用いずかな書きにしたものがある。

例：　ある（有る・在る）　たぶん（多分）　きのう（昨日）

3）数字は原則として算用数字を用いた。

例：　9時（じ）　4月1日（がつついたち）　1つ（ひと）

ただし、次のような場合は漢数字を用いた。

例：　一人で　一度　一万円札

5．その他

1）文中省略できる語句は[　　]でくくった。

例：　父は　54[歳]です。

2）１つのものに違った表現がある場合はそれを（　　）でくくった。

例：　だれ（どなた）

3）「翻訳・文法解説」中、置き換えができる部分は、～で示した。

例：　～は　いかがですか。

ただし、置き換え部分が数字の場合は—で示した。

例：　—歳　—円　—時間

学習者のみなさんへ
—効果的な学習法—

1．ことばをよく覚えます。

この教科書には各課ごとに新しいことばが提出されています。まず、テープ／CDを聞きながら、正しい発音とアクセントでことばをよく覚えます。出てきた新しいことばを使って、短い文を作る練習を必ずしてください。ことばだけではなく、文の中での使い方を覚えることが大切です。

2．文型の練習をします。

文型の正しい意味をとらえ、文の形がしっかり身につくまで「練習Ａ、Ｂ」で繰り返し練習してください。とくに「練習Ｂ」は実際に声を出して、練習することが大切です。

3．会話の練習をします。

文型練習の次は会話の練習です。「会話」は日本で生活する外国人が日常生活で遭遇するさまざまな場面を取り上げてあります。こうした会話に慣れるために、まず「練習Ｃ」でよく練習します。練習の際には、練習Ｃのパターンだけで終わらずに、もっと会話を続け、膨らませるようにしてください。さらに、「会話」の練習で場面や状況にふさわしいやり取りのこつを覚えてください。

4．テープ／CDを何度も聞きます。

練習Ｃ及び会話を練習するときは、正しい発音や抑揚などを身につけるために、テープ／CDを聞きながら、実際に声を出して練習します。また、日本語の音やスピードに慣れ、内容を聞き取る力を養うためにも、テープ／CDを何度も聞きます。

5．必ず復習・予習をします。

授業で習ったことを忘れないために、必ずその日のうちに復習をします。そして最後にその日の学習の総仕上げとして「問題」を完成してください。

また、時間に余裕があれば、次に学習する課の語彙と文法を見ておきます。基本的な準備をしておけば、次の学習が効率的に行えます。

6．実際に話してみます。

教室の中だけが学習の場ではありません。学んだ日本語を使って、日本人に話しかけてみてください。習ったことを、すぐ使ってみる。それが上達への近道です。

以上のやり方で、この教科書の基本を終えると、日常生活に必要な基本語彙と基本的な表現が身につきます。

目次

——会話の　登場人物——

マイク・ミラー

アメリカ、IMCの　社員

佐藤　けいこ

日本、IMCの　社員

ホセ・サントス

ブラジル、ブラジルエアーの　社員

マリア・サントス

ブラジル、主婦

カリナ

インドネシア、富士大学の　学生

ワン　シュエ

中国、神戸病院の　医者

山田　一郎

日本、IMCの社員

山田　友子

日本、銀行員

松本　正

日本、IMCの部長

松本　良子

日本、主婦

木村　いずみ

日本、アナウンサー

——その他の　登場人物——

ワット

イギリス、さくら大学の　先生

シュミット

ドイツ、パワー電気の　エンジニア

イー

韓国、AKCの　研究者

テレサ

ブラジル、小学生、9歳

ホセ・サントスと　マリアの　娘

太郎

日本、小学生、8歳

山田　一郎と　友子の　息子

グプタ

インド、IMCの　社員

タワポン

タイ、日本語学校の　学生

※IMC（コンピューターの　ソフトウェアの　会社）

※AKC（アジア研究センター）

Ⅰ．日本語の　発音

(にほんご　はつおん)

1．かなと　拍

(はく)

ひらがな

あ	い	う	え	お
か	き	く	け	こ
さ	し	す	せ	そ
た	ち	つ	て	と
な	に	ぬ	ね	の
は	ひ	ふ	へ	ほ
ま	み	む	め	も
や	(い)	ゆ	(え)	よ
ら	り	る	れ	ろ
わ	(い)	(う)	(え)	を
ん				

きゃ	きゅ	きょ
しゃ	しゅ	しょ
ちゃ	ちゅ	ちょ
にゃ	にゅ	にょ
ひゃ	ひゅ	ひょ
みゃ	みゅ	みょ
りゃ	りゅ	りょ

が	ぎ	ぐ	げ	ご
ざ	じ	ず	ぜ	ぞ
だ	ぢ	づ	で	ど
ば	び	ぶ	べ	ぼ
ぱ	ぴ	ぷ	ぺ	ぽ

ぎゃ	ぎゅ	ぎょ
じゃ	じゅ	じょ
びゃ	びゅ	びょ
ぴゃ	ぴゅ	ぴょ

かたかな

ア	イ	ウ	エ	オ
カ	キ	ク	ケ	コ
サ	シ	ス	セ	ソ
タ	チ	ツ	テ	ト
ナ	ニ	ヌ	ネ	ノ
ハ	ヒ	フ	ヘ	ホ
マ	ミ	ム	メ	モ
ヤ	（イ）	ユ	（エ）	ヨ
ラ	リ	ル	レ	ロ
ワ	（イ）	（ウ）	（エ）	ヲ
ン				

ガ	ギ	グ	ゲ	ゴ
ザ	ジ	ズ	ゼ	ゾ
ダ	ヂ	ヅ	デ	ド
バ	ビ	ブ	ベ	ボ
パ	ピ	プ	ペ	ポ

キャ	キュ	キョ
シャ	シュ	ショ
チャ	チュ	チョ
ニャ	ニュ	ニョ
ヒャ	ヒュ	ヒョ
ミャ	ミュ	ミョ
リャ	リュ	リョ
ギャ	ギュ	ギョ
ジャ	ジュ	ジョ
ビャ	ビュ	ビョ
ピャ	ピュ	ピョ

2. 長音(ちょうおん)

おばさん：おばあさん　　おじさん：おじいさん　　ゆき：ゆうき

え：ええ　　とる：とおる

ここ：こうこう　　へや：へいや

カード　　タクシー　　スーパー　　テープ　　ノート

3. 撥音(はつおん)

えんぴつ　　みんな　　てんき　　きんえん

4. 促音(そくおん)

ぶか：ぶっか　　かさい：かっさい　　おと：おっと

にっき　　ざっし　　きって　　いっぱい　　コップ　　ベッド

5. 拗音(ようおん)

ひやく：ひゃく　　じゆう：じゅう　　びよういん：びょういん

シャツ　　おちゃ　　ぎゅうにゅう　　きょう　　ぶちょう　　りょこう

6. アクセント

にわ　　なまえ　　にほんご　　【　】

ほん　　てんき　　らいげつ　　【　】

たまご　　ひこうき　　せんせい　　【　】

くつ　　やすみ　　おとうと　　【　】

はし：はし　　いち：いち

東京(とうきょう)アクセント：大阪(おおさか)アクセント

はな：はな

りんご：りんご

おんがく：おんがく

7. イントネーション

佐藤(さとう)　：あした　友達(ともだち)と　お花見(はなみ)を　します。【→】

ミラーさんも　いっしょに　行(い)きませんか。【⤴】

ミラー：ああ、いいですね。【⤵】

Ⅱ．教室(きょうしつ)の　指示(しじ)の　ことば

1．始(はじ)めましょう。
2．終(お)わりましょう。
3．休(やす)みましょう。
4．わかりますか。(…はい、わかります。／いいえ、わかりません。)
5．もう　一度(いちど)。
6．けっこうです。
7．だめです。
8．名前(なまえ)
9．試験(しけん)、宿題(しゅくだい)
10．質問(しつもん)、答(こた)え、例(れい)

Ⅲ．毎日(まいにち)の　あいさつと　会話表現(かいわひょうげん)

1．おはよう　ございます。
2．こんにちは。
3．こんばんは。
4．お休(やす)みなさい。
5．さようなら。
6．ありがとう　ございます。
7．すみません。
8．お願(ねが)いします。

Ⅳ．数字(すうじ)

0　　　…ゼロ、れい
1（一）…いち
2（二）…に
3（三）…さん
4（四）…よん、し
5（五）…ご
6（六）…ろく
7（七）…なな、しち
8（八）…はち
9（九）…きゅう、く
10（十）…じゅう

第1課

文型

1. わたしは　マイク・ミラーです。
2. サントスさんは　学生じゃ　ありません。
   （では）
3. ミラーさんは　会社員ですか。
4. サントスさんも　会社員です。

例文

1. ［あなたは］　マイク・ミラーさんですか。
   …はい、［わたしは］　マイク・ミラーです。

2. ミラーさんは　学生ですか。
   …いいえ、［わたしは］　学生じゃ　ありません。
   会社員です。

3. ワンさんは　エンジニアですか。
   …いいえ、ワンさんは　エンジニアじゃ　ありません。
   医者です。

4. あの　方は　どなたですか。
   …ワットさんです。　さくら大学の　先生です。

5. テレサちゃんは　何歳ですか。
   …9歳です。

会話

初めまして

佐　藤：　おはよう　ございます。
山　田：　おはよう　ございます。
　　　　　佐藤さん、こちらは　マイク・ミラーさんです。
ミラー：　初めまして。
　　　　　マイク・ミラーです。
　　　　　アメリカから　来ました。
　　　　　どうぞ　よろしく。
佐　藤：　佐藤けい子です。
　　　　　どうぞ　よろしく。

練習（れんしゅう）　A

1.　わたしは　マイク・ミラー　です。
　　　　　　　かいしゃいん

2.　わたしは　カール・シュミット　じゃ　ありません。
　　　　　　　エンジニア

3.　あの　人（ひと）（方（かた））は　きむらさん　ですか。
　　　　　　　　　　　マリアさん
　　　　　　　　　　　だれ（どなた）

4.　サントスさんは　ブラジル人（じん）です。

　　マリアさん　も　ブラジル人（じん）です。
　　あの　ひと

5.　ミラーさん　は　IMC　の　しゃいん　です。
　　カリナさん　　　ふじだいがく　　がくせい

6.　テレサちゃん　は　9さい　です。
　　たろうくん　　　　8さい
　　　　　　　　　　　なんさい（おいくつ）……か。

練習　B

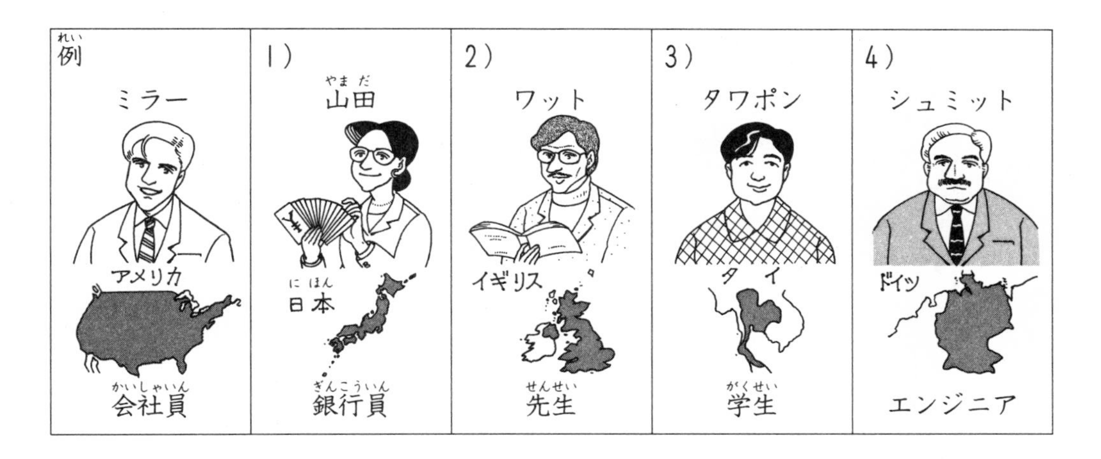

1. 例：　→　ミラーさんは　アメリカ人です。
   1）　→　　2）　→　　3）　→　　4）　→

2. 例：　→　ミラーさんは　会社員です。
   1）　→　　2）　→　　3）　→　　4）　→

3. 例：　ミラーさん・銀行員　→　ミラーさんは　銀行員じゃ　ありません。
   1）　山田さん・エンジニア　→
   2）　ワットさん・ドイツ人　→
   3）　タワポンさん・先生　→
   4）　シュミットさん・アメリカ人　→

4. 例：　ミラーさん・アメリカ人　→　ミラーさんは　アメリカ人ですか。
   ……はい、アメリカ人です。
   例：　ミラーさん・医者　→　ミラーさんは　医者ですか。
   ……いいえ、医者じゃ　ありません。
   1）　山田さん・銀行員　→
   2）　ワットさん・フランス人　→
   3）　タワポンさん・会社員　→
   4）　シュミットさん・エンジニア　→

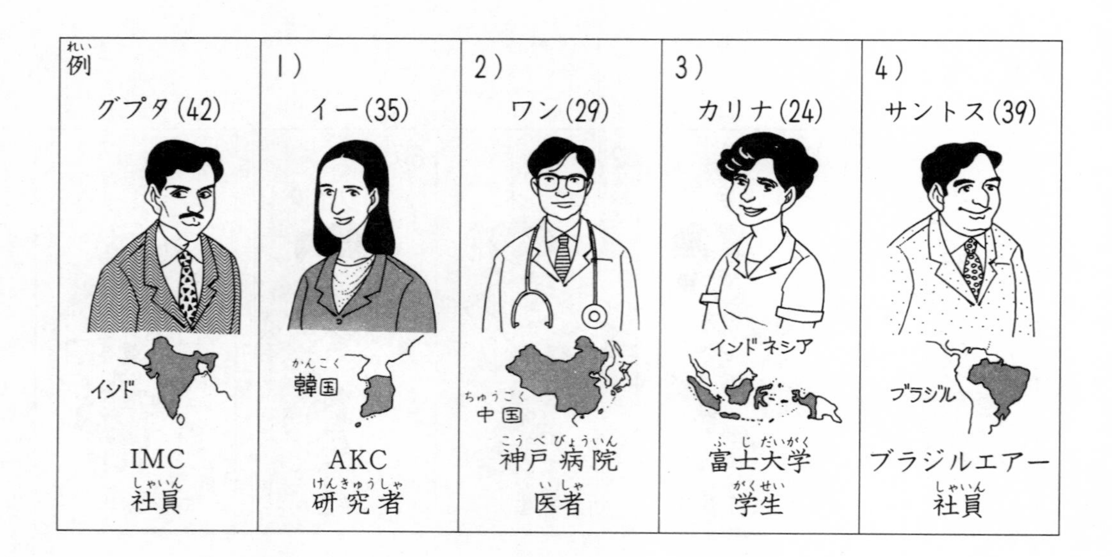

5. 例：　ミラーさんは　会社員です。　グプタさんも　会社員ですか。
　　　→　はい、グプタさんも　会社員です。
例：　ミラーさんは　アメリカ人です。　グプタさんも　アメリカ人ですか。
　　　→　いいえ、グプタさんは　アメリカ人じゃ　ありません。

1）　山田さんは　銀行員です。　イーさんも　銀行員ですか。　→
2）　ワットさんは　先生です。　ワンさんも　先生ですか。　→
3）　タワポンさんは　学生です。　カリナさんも　学生ですか。　→
4）　シュミットさんは　ドイツ人です。　サントスさんも　ドイツ人ですか。
　　→

6. 例：　→　あの　方は　どなたですか。
　　　……グプタさんです。　IMCの　社員です。

1）　→　　2）　→　　3）　→　　4）　→

7. 例：　→　グプタさんは　42歳です。

1）　→　　2）　→　　3）　→　　4）　→

練習(れんしゅう)　C

1.　A：　失礼(しつれい)ですが、お名前(なまえ)は？

　　B：　①イーです。

　　A：　②リーさんですか。

　　B：　いいえ、①イーです。

　　1）　①　サントス
　　　　②　サンタス

　　2）　①　ワット
　　　　②　アット

　　3）　①　タワポン
　　　　②　タナポン

2.　A：　初(はじ)めまして。　①マイク・ミラーです。
　　　　②アメリカから　来(き)ました。　どうぞ　よろしく。

　　B：　佐藤(さとう)です。　どうぞ　よろしく。

　　1）　①　ホセ・サントス
　　　　②　ブラジル

　　2）　①　カリナ
　　　　②　インドネシア

　　3）　①　ワン
　　　　②　中国(ちゅうごく)

3.　A：　皆(みな)さん、こちらは　①マイク・ミラーさんです。

　　B：　おはよう　ございます。　①マイク・ミラーです。
　　　　②IMCの　社員(しゃいん)です。　どうぞ　よろしく　お願(ねが)いします。

　　1）　①　ホセ・サントス
　　　　②　ブラジルエアーの　社員(しゃいん)

　　2）　①　ジョン・ワット
　　　　②　さくら大学(だいがく)の　教師(きょうし)

　　3）　①　カール・シュミット
　　　　②　パワー電気(でんき)の　エンジニア

問題

1. 例： いいえ、［わたしは］ 先生じゃ ありません。

　1）＿＿＿＿＿＿＿＿＿＿

　2）＿＿＿＿＿＿＿＿＿＿

　3）＿＿＿＿＿＿＿＿＿＿

　4）＿＿＿＿＿＿＿＿＿＿

　5）＿＿＿＿＿＿＿＿＿＿

2. 例： ① ⓶ ③

　1） ① ② ③

　2） ① ② ③

3. 例1：（ × ） 例2：（ ○ ）

　1）（　　）　2）（　　）　3）（　　）

4．　例（れい）：　あなたは　（　学生（がくせい）　）ですか。
　　……はい、学生（がくせい）です。
1）　あなたは　（　　　　　）ですか。
　　……はい、わたしは　ミラーです。
2）　ミラーさんは　（　　　　　）ですか。
　　……はい、アメリカ人（じん）です。
3）　ワットさんも　（　　　　　）ですか。
　　……いいえ、アメリカ人（じん）じゃ　ありません。　イギリス人（じん）です。
4）　あの　方（かた）は　（　　　　　）ですか。
　　……サントスさんです。
5）　テレサちゃんは　（　　　　　）ですか。
　　……9歳（さい）です。

5．　例（れい）：　わたし（　は　）　ミラーです。
1）　ワンさん（　　　）　医者（いしゃ）です。
2）　カリナさん（　　　）　先生（せんせい）です（　　　）。
　　……いいえ、先生（せんせい）じゃ　ありません。
3）　ミラーさんは　IMC（　　　）　社員（しゃいん）です。
4）　ミラーさんは　会社員（かいしゃいん）です。
　　サントスさん（　　　）　会社員（かいしゃいん）です。

6．　初（はじ）めまして。
わたしは　＿＿＿＿＿＿＿＿＿＿＿＿＿＿＿＿です。
＿＿＿＿＿＿＿＿＿＿＿＿＿＿＿＿から　来（き）ました。
どうぞ　よろしく。

第(だい)2課(か)

文型(ぶんけい)

1. これは　辞書(じしょ)です。
2. これは　コンピューターの　本(ほん)です。
3. それは　わたしの　傘(かさ)です。
4. この　傘(かさ)は　わたしのです。

例文(れいぶん)

1. これは　テレホンカードですか。
…はい、そうです。

2. それは　ノートですか。
…いいえ、そうじゃ　ありません。　手帳(てちょう)です。

3. それは　何(なん)ですか。
…[これは]　名刺(めいし)です。

4. これは　「9」ですか、「7」ですか。
…「9」です。

5. それは　何(なん)の　雑誌(ざっし)ですか。
…自動車(じどうしゃ)の　雑誌(ざっし)です。

6. あれは　だれの　かばんですか。
…佐藤(さとう)さんの　かばんです。

7. この　傘(かさ)は　あなたのですか。
…いいえ、わたしのじゃ　ありません。

8. この　かぎは　だれのですか。
…わたしのです。

会話

ほんの　気持ちです

山田一郎：　はい。　どなたですか。
サントス：　408の　サントスです。

サントス：　こんにちは。　サントスです。
　　　　　　これから　お世話に　なります。
　　　　　　どうぞ　よろしく　お願いします。
山　　田：　こちらこそ　よろしく。
サントス：　あのう、これ、ほんの　気持ちです。
山　　田：　あ、どうも……。　何ですか。
サントス：　コーヒーです。　どうぞ。
山　　田：　どうも　ありがとう　ございます。

練習（れんしゅう） A

1. これは　じしょ / しんぶん / めいし　です。
   　　　なん　……か。

2. それは　ボールペン / 「1」 / 「あ」　ですか、　シャープペンシル / 「7」 / 「お」　ですか。

3. これは　じどうしゃ / コンピューター / にほんご　の　本（ほん）です。
   　　　なん　……………か。

4. あれは　わたし / さとうさん / せんせい　の　机（つくえ）です。
   　　　だれ　…………… か。

5. あれは　わたし / さとうさん / せんせい　のです。
   　　　だれ　………か。

6. この　てちょう / かぎ / かばん　は　わたしのです。

練習　B

1.　例1：　→　これは　雑誌です。
例2：　→　それは　ノートです。
例3：　→　あれは　辞書です。
1）　→　　2）　→　　3）　→

2.　例：　本　→　これは　本ですか。
……はい、そうです。　本です。
例：　手帳　→　これは　手帳ですか。
……いいえ、そうじゃ　ありません。　本です。
1）　時計　→　　2）　ラジオ　→
3）　ボールペン　→　　4）　いす　→

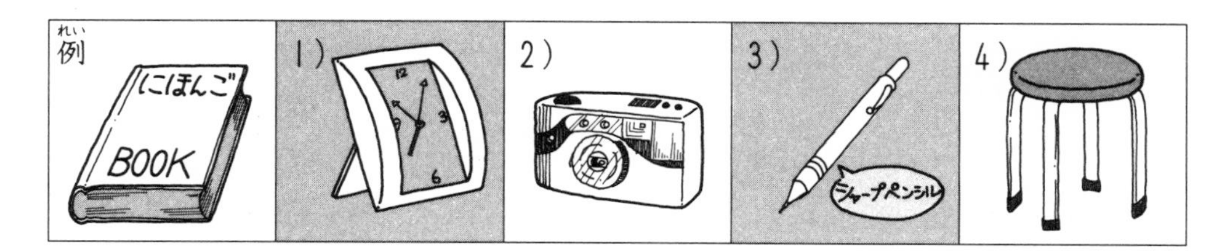

3.　例：　→　あれは　何ですか。
……本です。
1）　→　　2）　→　　3）　→　　4）　→

4.　例：　シャープペンシル・ボールペン（ボールペン）
→　これは　シャープペンシルですか、ボールペンですか。
……ボールペンです。
1）　本・雑誌（本）　→　　2）　「い」・「り」（「り」）　→
3）　「1」・「7」（「7」）　→　　4）　「シ」・「ツ」（「シ」）　→

5. 例（れい）： 雑誌（ざっし） → それは 何（なん）の 雑誌（ざっし）ですか。
……コンピューターの 雑誌（ざっし）です。

1） 本（ほん） →　　2） テープ →
3） 雑誌（ざっし） →　　4） 本（ほん） →

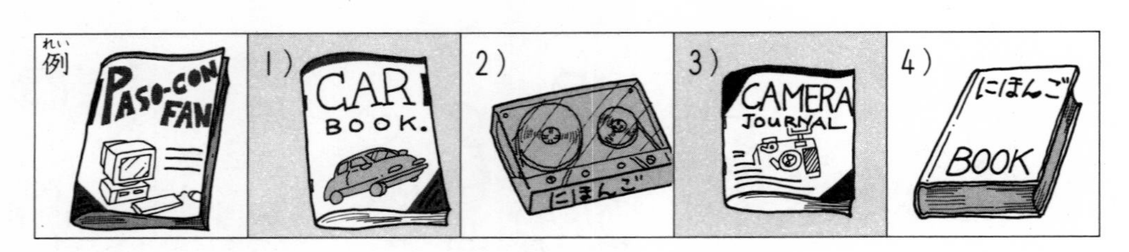

6. 例（れい）： → これは だれの ノートですか。
……カリナさんの ノートです。

1） →　　2） →　　3） →　　4） →

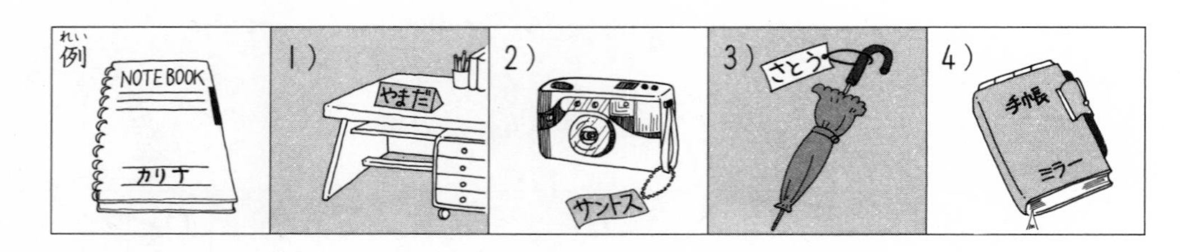

7. 例（れい）： カリナさん → この ノートは カリナさんのですか。
……はい、カリナさんのです。
例（れい）： ミラーさん → この ノートは ミラーさんのですか。
……いいえ、ミラーさんのじゃ ありません。

1） ワンさん →　　2） サントスさん →
3） 佐藤（さとう）さん →　　4） ワットさん →

8. 例（れい）： → この ノートは だれのですか。
……カリナさんのです。

1） →　　2） →　　3） →　　4） →

練習(れんしゅう)　C

1.　A：　それは　何(なん)ですか。

　　B：　①テープです。

　　A：　何(なん)の　①テープですか。

　　B：　②英語(えいご)の　テープです。

　　A：　そうですか。

　　　　1）　①　カード

　　　　　　②　テレホンカード

　　　　2）　①　雑誌(ざっし)

　　　　　　②　自動車(じどうしゃ)の　雑誌(ざっし)

　　　　3）　①　本(ほん)

　　　　　　②　コンピューターの　本(ほん)

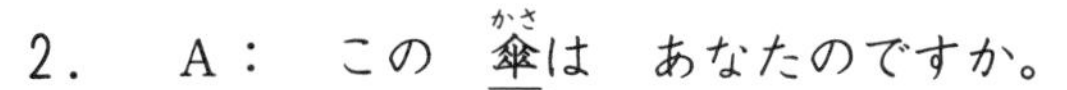

2.　A：　この　傘(かさ)は　あなたのですか。

　　B：　いいえ、違(ちが)います。

　　　　シュミットさんのです。

　　A：　そうですか。

　　　　1）　かぎ

　　　　2）　かばん

　　　　3）　鉛筆(えんぴつ)

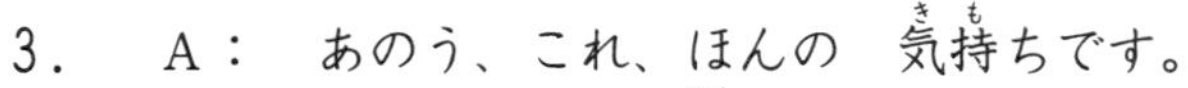

3.　A：　あのう、これ、ほんの　気持(きも)ちです。

　　B：　どうも……。　何(なん)ですか。

　　A：　コーヒーです。　どうぞ。

　　B：　どうも　ありがとう　ございます。

　　　　1）　チョコレート

　　　　2）　ボールペン

　　　　3）　テレホンカード

問題

1.

1) ______________________________

2) ______________________________

3) ______________________________

4) ______________________________

5) ______________________________

2.

1) ①

②

③

2) ①

②

③

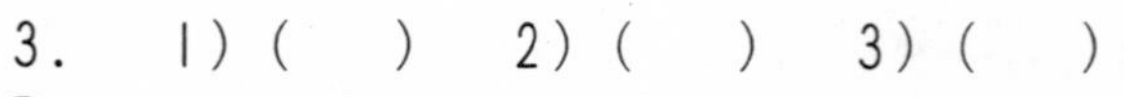

3. 1)(　　)　2)(　　)　3)(　　)

4. 例：　それは　（　だれ、何、本　）ですか。……本です。

1)　ミラーさんは　（　どなた、何歳、何　）ですか。……28歳です。

2)　ワンさんは　（　だれ、先生、何　）ですか。……いいえ、違います。

3)　それは　（　イーさん、だれ、何　）の　雑誌ですか。
……カメラの　雑誌です。

4)　これは　（　わたし、あなた、あの　人　）のですか。
……はい、わたしのです。

5．

例：　（　これ　）は　かぎです。

1）　（　　　　）は　ラジオです。

2）　（　　　　）は　コンピューターです。

3）　（　　　　）は　辞書です。

6．　例：　あの　人は　（　だれ　）ですか。……ミラーさんです。

1）　これは　（　　　　）ですか。……はい、新聞です。

2）　それは　（　　　　）ですか。……テレホンカードです。

3）　それは　（　　　　）の　テープですか。……韓国語の　テープです。

4）　これは　（　　　　）の　鉛筆ですか。……木村さんの　鉛筆です。

7．　例：　は／本／です／これ　→　これは　本です。

1）　です／それ／は／の／わたし／かぎ　→

2）　の／です／ミラーさん／辞書／は／この　→

3）　だれ／その／の／か／傘／です／は　→

4）　あれ／です／先生／机／の／は　→

8．　例：　山　田：　はい。　どなたですか。

サントス：　408の　サントスです＿＿＿＿。

1）　サントス：　これから　＿＿＿＿＿＿＿＿。

どうぞ　よろしく。

山　田：　こちらこそ　よろしく。

2）　サントス：　あのう、これ、＿＿＿＿＿＿＿＿。　＿＿＿＿＿＿。

山　田：　どうも……。　何ですか。

サントス：　コーヒーです。

山　田：　＿＿＿＿＿＿＿＿。

第(だい)3課(か)

文(ぶん)型(けい)

1. ここは　食堂(しょくどう)です。
2. 電話(でんわ)は　あそこです。

例(れい)文(ぶん)

1. ここは　新大阪(しんおおさか)ですか。
　…はい、そうです。

2. お手洗(てあら)いは　どこですか。
　…あそこです。

3. 山田(やまだ)さんは　どこですか。
　…事務所(じむしょ)です。

4. エレベーターは　どちらですか。
　…そちらです。

5. [お]国(くに)は　どちらですか。
　…アメリカです。

6. それは　どこの　靴(くつ)ですか。
　…イタリアの　靴(くつ)です。

7. この　時計(とけい)は　いくらですか。
　…18,600円(えん)です。

会話

これを　ください

マリア：　すみません。　ワイン売り場は　どこですか。
店員Ａ：　地下１階で　ございます。
マリア：　どうも。

マリア：　すみません。　その　ワインを　見せて　ください。
店員Ｂ：　はい、どうぞ。
マリア：　これは　フランスの　ワインですか。
店員Ｂ：　いいえ、イタリアのです。
マリア：　いくらですか。
店員Ｂ：　2,500円です。
マリア：　じゃ、これを　ください。

練習（れんしゅう） A

1. ここは ｜きょうしつ / だいがく / ひろしま｜ です。

2. 受付（うけつけ）は ｜ここ / そこ / あそこ｜ です。
　｜どこ｜ ……か。

3. 佐藤（さとう）さんは ｜あそこ / じむしょ / ロビー｜ です。
　｜どこ｜ ……か。

4. エレベーターは ｜こちら / そちら / あちら｜ です。
　｜どちら｜ ……か。

5. これは ｜にほん / アメリカ / ドイツ｜ の 自動車（じどうしゃ）です。
　｜どこ｜ ……………………か。

6. この ネクタイは ｜1,500えん / 5,800えん / 13,000えん｜ です。
　｜いくら｜ ……か。

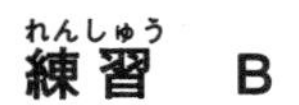

練習　B

1.　例：　→　ここは　食堂です。

☞　1)　→

2)　→

3)　→

4)　→

2.　例：　→　ロビーは　どこですか。

……あそこです。

1)　会議室　→　　2)　電話　→　　3)　山田さん　→

3.　例：　電話（2階）　→　電話は　どこですか。

……2階です。

1)　トイレ（1階）　→　　2)　コンピューター（事務所）　→

3)　テレサちゃん（教室）　→　　4)　ワイン売り場（地下）　→

4.　例：　階段（あちら）　→　階段は　どちらですか。

……あちらです。

1)　エスカレーター（そちら）　→　　2)　電話（こちら）　→

3)　カリナさんの　部屋（3階）　→　　4)　うち（大阪）　→

5． 例(れい)： → ミラーさんの　お国(くに)は　どちらですか。
……アメリカです。

1）　→　　2）　→　　3）　→　　4）　→

例(れい)：ミラー	1）サントス	2）ワット	3）シュミット	4）カリナ

アメリカ	ブラジル	イギリス	ドイツ	インドネシア
IMC	ブラジルエアー	さくら大学(だいがく)	パワー電気(でんき)	富士大学(ふじだいがく)

6． 例(れい)： 会社(かいしゃ) → ミラーさんの　会社(かいしゃ)は　どちらですか。
……IMC です。

1）　会社(かいしゃ) →　　2）　大学(だいがく) →
3）　会社(かいしゃ) →　　4）　大学(だいがく) →

7． 例(れい)： → これは　どこの　ネクタイですか。
……イタリアの　ネクタイです。

1）　→　　2）　→　　3）　→　　4）　→

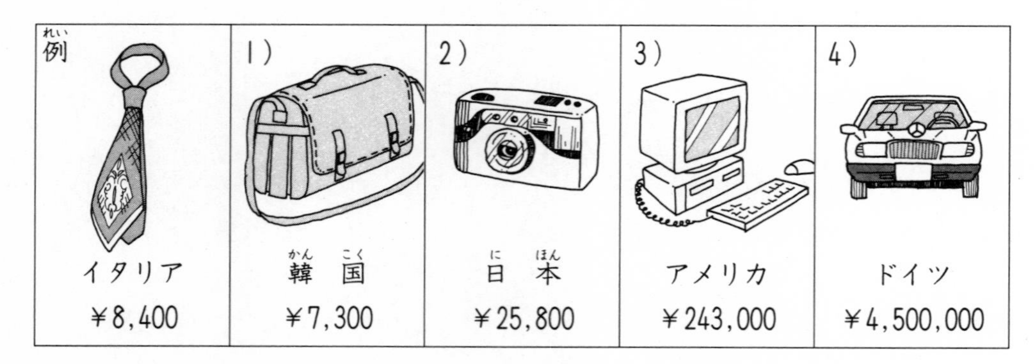

8． 例(れい)： → この　ネクタイは　いくらですか。
……8,400円(えん)です。

1）　→　　2）　→　　3）　→　　4）　→

練習(れんしゅう)　C

1.　A：　すみません。　<u>トイレ</u>は　どこですか。

　　B：　あそこです。

　　A：　どうも。

　　1）　電話(でんわ)

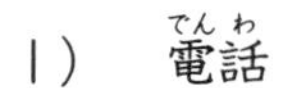

　　2）　エレベーター

　　3）　ネクタイ売(う)り場(ば)

2.　A：　会社(かいしゃ)は　どちらですか。

　　B：　①<u>パワー電気(でんき)</u>です。

　　A：　何(なん)の　会社(かいしゃ)ですか。

　　B：　②<u>コンピューターの</u>　会社(かいしゃ)です。

　　1）　①　MT

　　　　②　たばこ

　　2）　①　ヨーネン

　　　　②　チョコレート

　　3）　①　アキックス

　　　　②　靴(くつ)

3.　A：　これは　どこの　①<u>カメラ</u>ですか。

　　B：　②<u>日本(にほん)</u>のです。

　　A：　いくらですか。

　　B：　③<u>23,600円(えん)</u>です。

　　1）　①　ネクタイ

　　　　②　イタリア

　　　　③　7,300円(えん)

　　2）　①　時計(とけい)

　　　　②　スイス

　　　　③　18,800円(えん)

　　3）　①　コンピューター

　　　　②　アメリカ

　　　　③　178,000円(えん)

問題(もんだい)

1\. 1) ＿＿＿＿＿＿＿＿
   2) ＿＿＿＿＿＿＿＿
   3) ＿＿＿＿＿＿＿＿
   4) ＿＿＿＿＿＿＿＿
   5) ＿＿＿＿＿＿＿＿

2\. 1)（　）　2)（　）　3)（　）　4)（　）　5)（　）

3\.

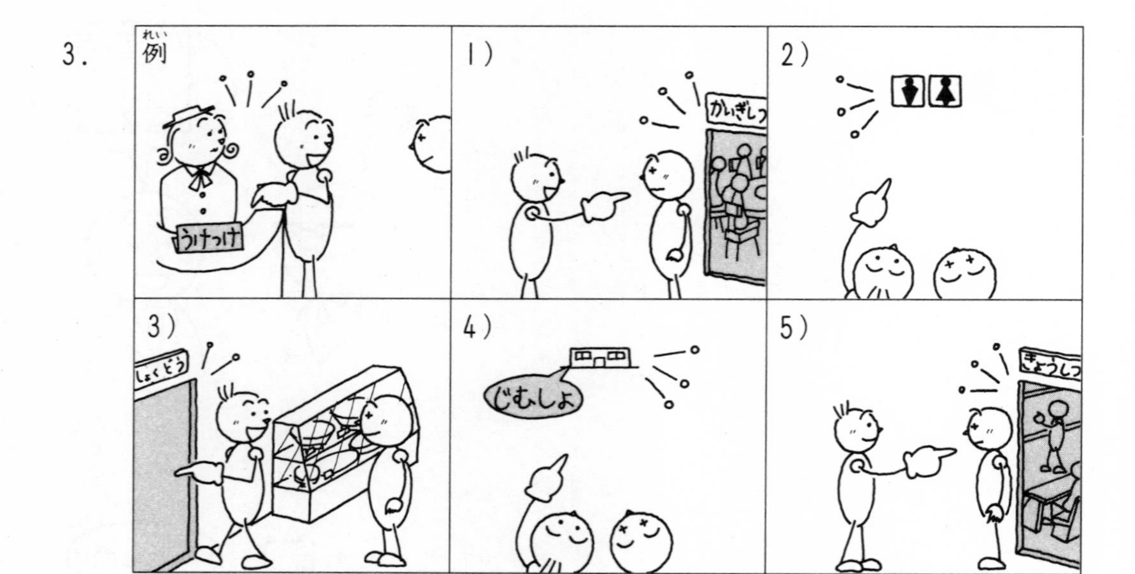

例(れい)：（ ここ ）は（ 受付(うけつけ) ）です。
1)（　　）は（　　）です。
2)（　　）は（　　）です。
3)（　　）は（　　）です。
4)（　　）は（　　）です。
5)（　　）は（　　）です。

4．　例：　（　わたし、　**わたしは**、　わたしの　）　ミラーです。

1）　（　これ、　この、　ここ　）は　ドイツの　自動車です。

2）　（　それ、　その、　そこ　）　かばんは　（　わたし、　わたしは、　わたしの　）です。

3）　事務所は　（　あれ、　あの、　あそこ　）です。

4）　すみません。　電話は　（　だれ、　何、　どこ　）ですか。

5．　例：　それは　（　何　）ですか。

……辞書です。

1）　すみません。　お手洗いは　（　　　　　）ですか。

……あちらです。

2）　ミラーさんは　（　　　　　）ですか。

……会議室です。

3）　カメラ売り場は　（　　　　　）ですか。

……５階です。

4）　お国は　（　　　　　）ですか。

……アメリカです。

5）　会社は　（　　　　　）ですか。

……MT です。

6）　MT は　（　　　　　）の　会社ですか。

……たばこの　会社です。

7）　これは　（　　　　　）の　ワインですか。

……イタリアの　ワインです。

8）　この　ワインは　（　　　　　）ですか。

……2,800円です。

第 4 課

文 型

1. 今　4時5分です。
2. わたしは　9時から　5時まで　働きます。
3. わたしは　朝　6時に　起きます。
4. わたしは　きのう　勉強しました。

例 文

1. 今　何時ですか。
   …2時10分です。
   ニューヨークは　今　何時ですか。
   …午前　0時10分です。

2. 銀行は　何時から　何時までですか。
   …9時から　3時までです。
   休みは　何曜日ですか。
   …土曜日と　日曜日です。

3. 毎晩　何時に　寝ますか。
   …11時に　寝ます。

4. 土曜日　働きますか。
   …いいえ、働きません。

5. きのう　勉強しましたか。
   …いいえ、勉強しませんでした。

6. IMCの　電話番号は　何番ですか。
   …341の　2597です。

会話

そちらは　何時から　何時までですか

番号案内　　：はい、104の　石田です。
カリナ　　　：やまと美術館の　電話番号を　お願いします。
番号案内　　：やまと美術館ですね。　かしこまりました。

テープ　　　：お問い合わせの　番号は　0797の　38の　5432です。

美術館の　人：はい、やまと美術館です。
カリナ　　　：すみません。　そちらは　何時から　何時までですか。
美術館の　人：9時から　4時までです。
カリナ　　　：休みは　何曜日ですか。
美術館の　人：月曜日です。
カリナ　　　：どうも　ありがとう　ございました。

練習(れんしゅう) A

1. 今(いま) 4じ5ふん です。
9じはん
なんじ ……か。

2. 昼休(ひるやす)みは 12じ から 1じ までです。
12じはん 1じ15ふん
なんじ なんじ …………か。

3. 休(やす)みは すいようび です。
どようびと にちようび
なんようび ……か。

4. わたしは 9じ から 5じ まで 働(はたら)きます。
あさ ばん
げつようび きんようび

5. わたしは 毎朝(まいあさ) 6じ に 起(お)きます。
7じはん
あなたは …… なんじ ………………か。

6. わたしは まいにち 勉強(べんきょう)します。
あした
きのう 勉強(べんきょう)しました。
おととい

7.

ね	ます	ね	ません	ね	ました	ね	ませんでした
やすみ	ます	やすみ	ません	やすみ	ました	やすみ	ませんでした
はたらき	ます	はたらき	ません	はたらき	ました	はたらき	ませんでした

練習　B

1.　例：　→　3時です。

1）→　　2）→　　3）→　　4）→

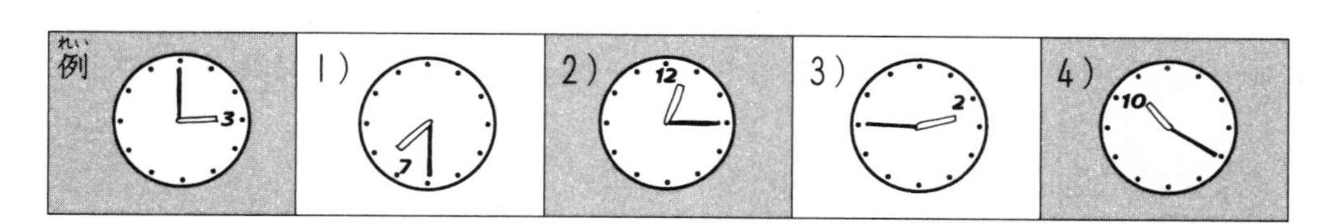

2.　例：　東京　→　東京は　今　何時ですか。

……午後　6時です。

1）　ペキン　→　　2）　バンコク　→

3）　ロンドン　→　　4）　ロサンゼルス　→

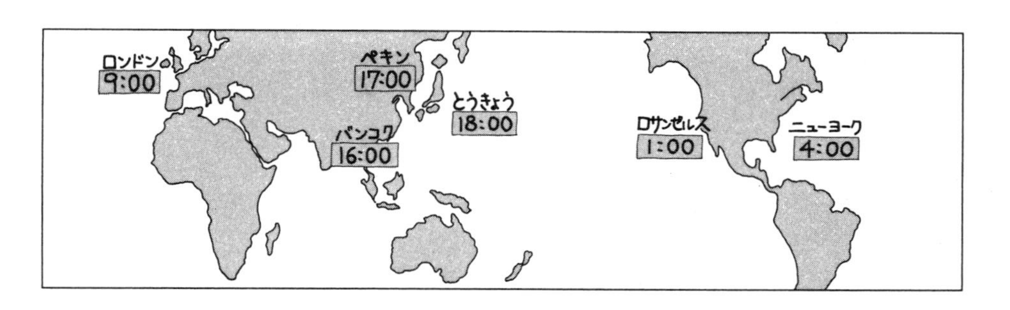

3.　例：　銀行（9:00～3:00）　→　銀行は　何時から　何時までですか。

……9時から　3時までです。

1）　郵便局　（9:00～5:00）　→　　2）　デパート（10:30～7:30）　→

3）　図書館　（9:00～6:30）　→　　4）　会社（9:15～5:45）　→

4.　例：　毎晩・勉強します（7:30～9:30）

→　毎晩　何時から　何時まで　勉強しますか。

……7時半から　9時半まで　勉強します。

1）　毎日・働きます（9:30～5:30）　→

2）　昼・休みます（12:00～1:00）　→

3）　土曜日・働きます（9:00～2:00）　→

4）　毎朝・勉強します（7:00～8:00）　→

4

4

5.　例：　毎朝　→　毎朝　何時に　起きますか。
　　　　　　　　……7時に　起きます。

1）　毎晩　→　　　　2）　あした　→
3）　今晩　→　　　　4）　日曜日　→

6.　例：　あした　→　あした　働きます。

1）　毎日　→　　　　2）　きのうの　晩　→
3）　あさって　→　　　　4）　おととい　→

7.　例1：　きょう　勉強しますか。(はい)　→　はい、勉強します。
　　例2：　きのう　勉強しましたか。(いいえ)
　　　　→　いいえ、勉強しませんでした。

1）　あさって　働きますか。(いいえ)　→
2）　毎晩　勉強しますか。(はい)　→
3）　きのうの　晩　勉強しましたか。(はい)　→
4）　きのう　働きましたか。(いいえ)　→

8.　例1：　毎朝・起きます (6:00)　→　毎朝　何時に　起きますか。
　　　　　　　　……6時に　起きます。
　　例2：　きのう・働きます (9:00～5:00)
　　　　→　きのう　何時から　何時まで　働きましたか。
　　　　……9時から　5時まで　働きました。

1）　毎晩・寝ます (11:00)　→
2）　けさ・起きます (7:30)　→
3）　毎日・働きます (10:00～6:00)　→
4）　きのうの　晩・勉強します (7:00～8:30)　→

練習　C

1.　A：　はい、①やまと美術館です。

　　B：　すみません。　そちらは　何時から　何時までですか。

　　A：　②10時から　4時までです。

　　B：　休みは　何曜日ですか。

　　A：　③月曜日です。

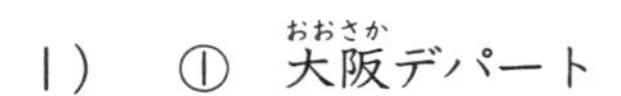

　　1）　①　大阪デパート

　　　　 ②　10時半・7時半　③　火曜日

　　2）　①　みどり図書館

　　　　 ②　9時・6時　③　木曜日

　　3）　①　アップル銀行

　　　　 ②　9時・3時　③　土曜日と　日曜日

2.　A：　大学は　何時からですか。

　　B：　①9時からです。

　　A：　何時に　終わりますか。

　　B：　②5時に　終わります。

　　A：　毎日ですか。

　　B：　はい。

　　A：　大変ですね。

　　1）　①　10時　②　6時半

　　2）　①　8時半　②　4時

　　3）　①　9時半　②　8時

3.　A：　すみません。　①さくら大学の　電話番号は　何番ですか。

　　B：　えーと、②872の　6813です。

　　A：　②872の　6813ですね。　どうも。

　　1）　①　大阪デパート

　　　　 ②　433-1887

　　2）　①　IMC

　　　　 ②　287-4949

　　3）　①　みどり図書館

　　　　 ②　06-673-1901

問題(もんだい)

1. 1）＿＿＿＿＿＿＿＿
   2）＿＿＿＿＿＿＿＿
   3）＿＿＿＿＿＿＿＿
   4）＿＿＿＿＿＿＿＿
   5）＿＿＿＿＿＿＿＿

2. 1）

①
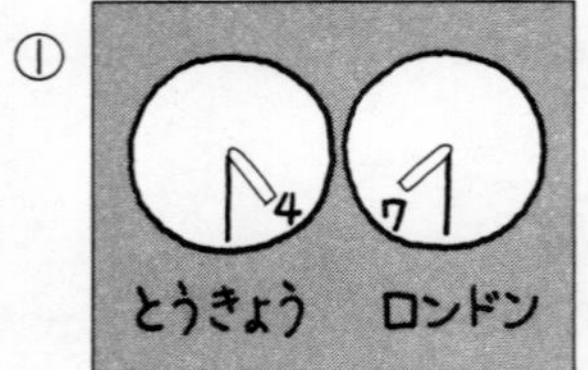

②
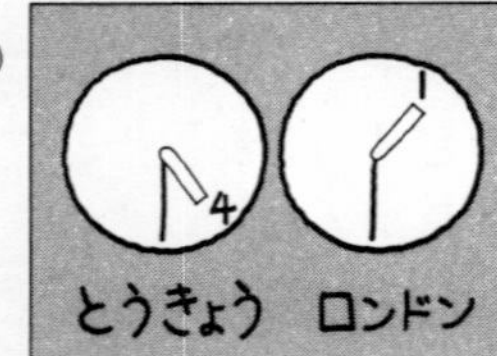

③
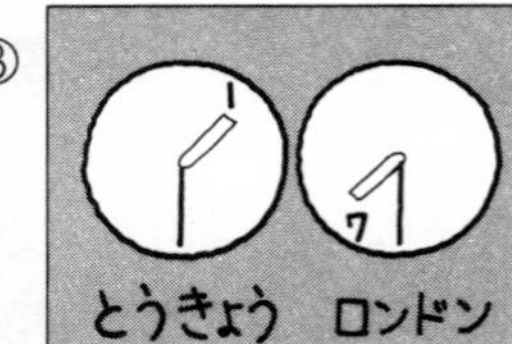

2）

①
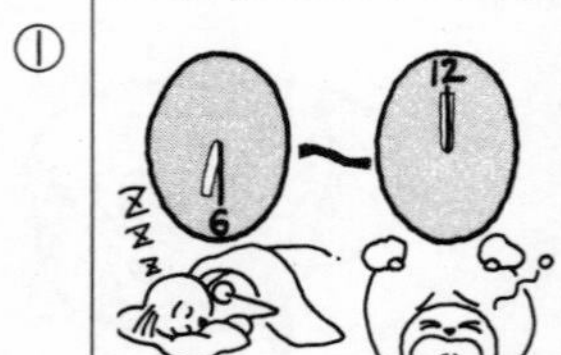

②
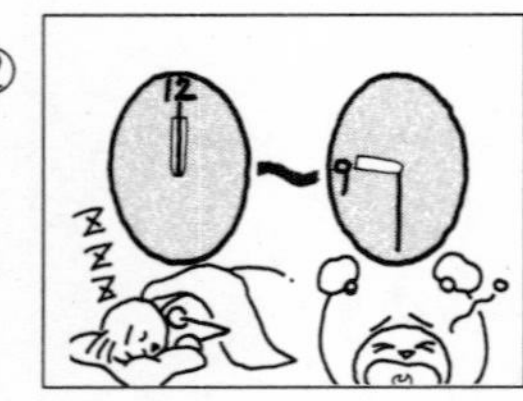

③
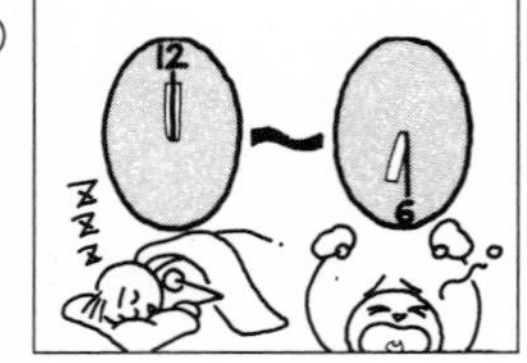

3. 1）（　　）　2）（　　）　3）（　　）

4. 例(れい)：（ 6:30　　9:30 ）
   1）（ 8:30　　7:30 ）
   2）（ 午前(ごぜん)　8:20　　午後(ごご)　8:20 ）
   3）（ 9:30～6:30　　9:00～6:00 ）
   4）（ 12:15～1:15　　12:50～1:50 ）
   5）（ 349-7895　　349-7865 ）
   6）（ 075-831-6697　　075-138-6697 ）
   7）（ 3,850　　3,650 ）
   8）（ 208,000　　128,000 ）

5．　例1：　これは　スイス（　の　）　時計です。

　　例2：　電話は　どこ（　×　）ですか。

1）　毎朝（　　　）　6時（　　　）　起きます。

2）　美術館は　何時（　　　）　何時（　　　）ですか。

3）　今　何時（　　　）ですか。

4）　木曜日（　　　）　午後　病院は　休みです。

5）　大学は　何時（　　　）　終わりますか。

6）　銀行の　休みは　土曜日（　　　）　日曜日です。

6．　例：　あの　人は　（　だれ　）ですか。

……ミラーさんです。

1）　今　（　　　　）ですか。

……5時です。

2）　佐藤さんの　うちの　電話番号は　（　　　　）ですか。

……333の　4367です。

3）　きょうは　（　　　　）ですか。

……火曜日です。

4）　テレサちゃんは　（　　　　）ですか。

……9歳です。

5）　きのう　（　　　　）まで　働きましたか。

……9時まで　働きました。

7．　例：　毎日　9時から　5時まで　（　働きます、働きました　）。

1）　きのう　10時に　（　寝ます、寝ました　）。

2）　毎日　昼　12時から　1時まで　（　休みます、休みました　）。

3）　おとといの　晩　9時から　11時まで　（　勉強します、勉強しました　）。

4）　毎朝　何時に　（　起きます、起きました　）か。

5）　あさっては　日曜日です。　（　働きません、働きませんでした　）。

8．　例：　今晩　勉強しますか。……はい、（　勉強します　）。

1）　おととい　休みましたか。……はい、（　　　　　　）。

2）　日曜日　働きますか。……いいえ、（　　　　　　）。

3）　きのう　勉強しましたか。……いいえ、（　　　　　　）。

4）　大学は　3時に　終わりますか。……はい、（　　　　　　）。

第 5 課

文　型

1.　わたしは　京都へ　行きます。
2.　わたしは　タクシーで　うちへ　帰ります。
3.　わたしは　家族と　日本へ　来ました。

例　文

1.　あした　どこへ　行きますか。
　　…奈良へ　行きます。

2.　日曜日　どこへ　行きましたか。
　　…どこ[へ]も　行きませんでした。

3.　何で　東京へ　行きますか。
　　…新幹線で　行きます。

4.　だれと　東京へ　行きますか。
　　…山田さんと　行きます。

5.　いつ　日本へ　来ましたか。
　　…3月25日に　来ました。

6.　誕生日は　いつですか。
　　…6月13日です。

会　話

甲子園へ　行きますか

サントス　：　すみません。　甲子園まで　いくらですか。
女の　人：　350円です。
サントス　：　350円ですね。　ありがとう　ございました。
女の　人：　どう　いたしまして。

サントス　：　すみません。　甲子園は　何番線ですか。
駅　　員　：　5番線です。
サントス　：　どうも。

サントス　：　あのう、この　電車は　甲子園へ　行きますか。
男の　人：　いいえ。　次の　「普通」ですよ。
サントス　：　そうですか。　どうも。

練習(れんしゅう)　A

1.	わたしは	スーパー かいしゃ とうきょう	へ　行(い)きます。
	あなたは	どこ	……………………か。

2.	わたしは	バス ちかてつ じてんしゃ	で　会社(かいしゃ)へ　行(い)きます。
	あなたは	なん	……………………………か。

3.	わたしは	ミラーさん ともだち かぞく	と　日本(にほん)へ　来(き)ました。
	あなたは	だれ	……………………………か。

4.	わたしは	らいしゅう にちようび[に] 7がつ15にちに	国(くに)へ　帰(かえ)ります。
	あなたは	いつ	……………………か。

練習(れんしゅう)　B

1.　例(れい)：　→　スーパーへ　行(い)きます。

1）→　　2）→　　3）→　　4）→

2.　例(れい)：　けさ　→　けさ　どこへ　行(い)きましたか。
　　　……スーパーへ　行(い)きました。

1）先月(せんげつ)　→　　　　2）きのうの　午後(ごご)　→

3）来週(らいしゅう)の　月曜日(げつようび)　→　　　　4）先週(せんしゅう)の　日曜日(にちようび)　→

3.　例(れい)：　→　何(なん)で　京都(きょうと)へ　行(い)きますか。
　　　……電車(でんしゃ)で　行(い)きます。

1）→　　2）→　　3）→　　4）→

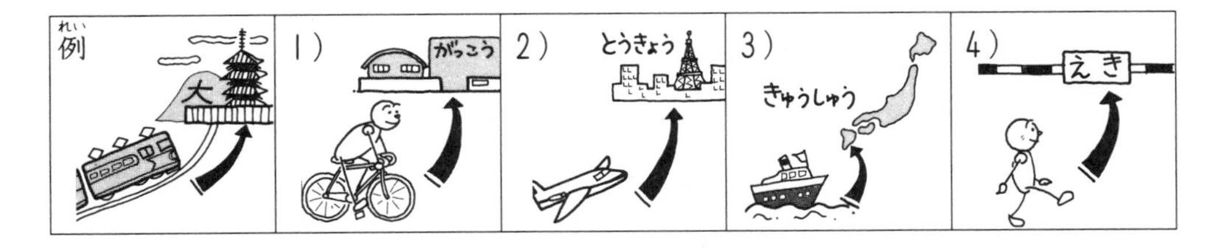

4.　例(れい)：　京都(きょうと)（友達(ともだち)）　→　だれと　京都(きょうと)へ　行(い)きますか。
　　　……友達(ともだち)と　行(い)きます。

1）大阪城(おおさかじょう)（彼女(かのじょ)）　→

2）広島(ひろしま)（会社(かいしゃ)の　人(ひと)）　→

3）フランス（家族(かぞく)）　→

4）病院(びょういん)（一人(ひとり)で）　→

5．　例1：　京都（3月3日）　→　いつ　京都へ　行きますか。
　　　　　　　　　　　　　　　……3月3日に　行きます。
　　例2：　東京（来週）　→　いつ　東京へ　行きますか。
　　　　　　　　　　　　　……来週　行きます。

1）　さくら大学（9月 14 日）　→
2）　アメリカ（来年の　3月）　→
3）　病院（今週の　水曜日）　→
4）　広島（来月）　→

6．　例：　いつ　アメリカへ　行きますか。（来週）　→　来週　行きます。

1）　いつ　日本へ　来ましたか。（去年）　→
2）　だれと　日本へ　来ましたか。（一人で）　→
3）　いつ　国へ　帰りますか。（来年）　→
4）　先週の　土曜日　どこへ　行きましたか。（どこも）　→
5）　きょう　何時に　ここへ　来ましたか。（9時）　→
6）　だれと　ここへ　来ましたか。（佐藤さん）　→
7）　何で　うちへ　帰りますか。（バス）　→
8）　きのう　何時に　うちへ　帰りましたか。（7時）　→

7．　例：　→　ミラーさんの　誕生日は　いつですか。
　　　　　　　……10月6日です。

1）　→　　　2）　→　　　3）　→　　　4）　→

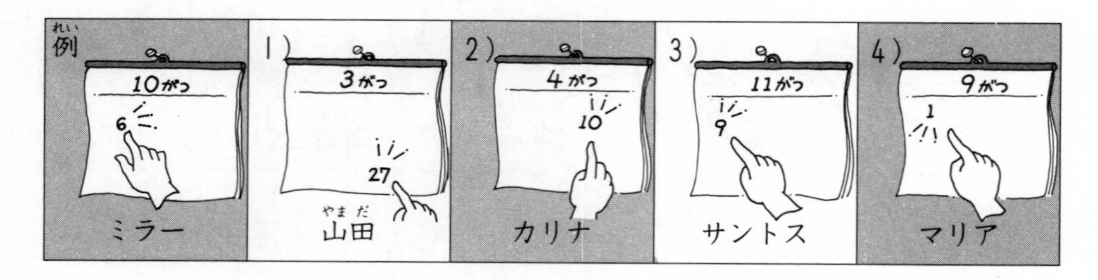

練習(れんしゅう) C

1\. A： あした ①東京(とうきょう)へ 行(い)きます。
B： 何(なん)で 行(い)きますか。
A： ②新幹線(しんかんせん)で 行(い)きます。
B： 一人(ひとり)で 行(い)きますか。
A： いいえ、会社(かいしゃ)の 人(ひと)と 行(い)きます。

1） ① 広島(ひろしま)
② バス
2） ① 名古屋(なごや)
② 電車(でんしゃ)
3） ① 博多(はかた)
② 飛行機(ひこうき)

2\. A： お国(くに)は どちらですか。
B： ①アメリカです。
A： そうですか。 いつ 日本(にほん)へ 来(き)ましたか。
B： ②去年(きょねん)の 9月(がつ)に 来(き)ました。

1） ① インドネシア
② 先月(せんげつ)の 10日(とおか)
2） ① イギリス
② ことしの 3月(がつ)
3） ① 中国(ちゅうごく)
② 先週(せんしゅう)の 月曜日(げつようび)

3\. A： この 電車(でんしゃ)は ①甲子園(こうしえん)へ 行(い)きますか。
B： いいえ、行(い)きません。 次(つぎ)の 「②普通(ふつう)」ですよ。
A： そうですか。 どうも。

1） ① 京都(きょうと) ② 急行(きゅうこう)
2） ① 神戸(こうべ) ② 特急(とっきゅう)
3） ① 伏見(ふしみ) ② 普通(ふつう)

問題(もんだい)

1\. 1）＿＿＿＿＿＿＿＿＿＿＿＿＿＿＿＿＿＿＿＿

2）＿＿＿＿＿＿＿＿＿＿＿＿＿＿＿＿＿＿＿＿

3）＿＿＿＿＿＿＿＿＿＿＿＿＿＿＿＿＿＿＿＿

4）＿＿＿＿＿＿＿＿＿＿＿＿＿＿＿＿＿＿＿＿

5）＿＿＿＿＿＿＿＿＿＿＿＿＿＿＿＿＿＿＿＿

2\. 1） ① ミラー なら きょうと さとう ② ミラー なら さとう ③

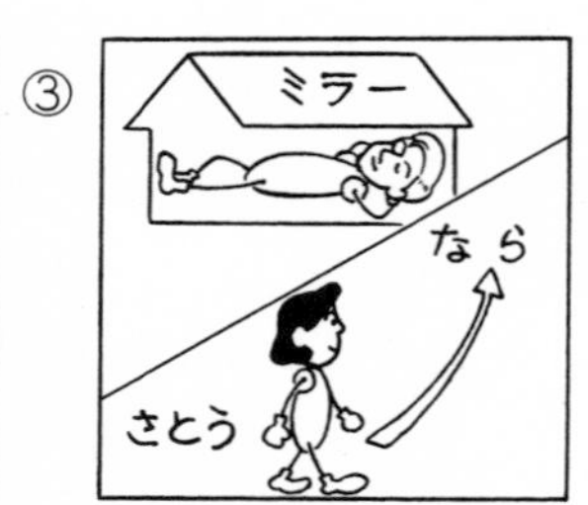

2） ①

② 4月 月 火 水 金 3 4 5 1 2 12 8 9 10 15 16 17 ③

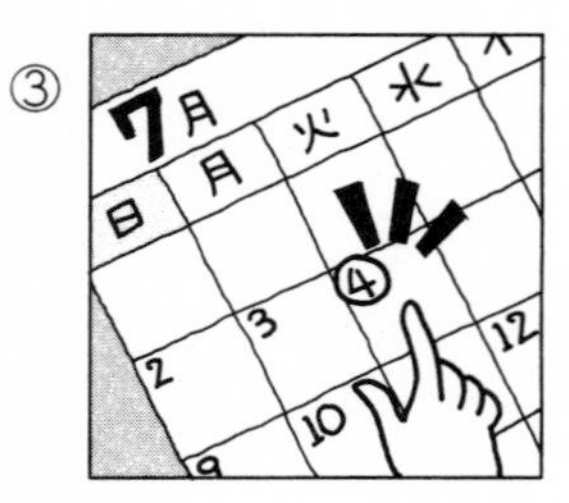

3\. 1）（　　） 2）（　　） 3）（　　）

4\. 例(れい)： これは　（　だれ　）の　ノートですか。

……カリナさんの　ノートです。

1）　（　　　　）　日本(にほん)へ　来(き)ましたか。

……8月(がつ)17日(にち)に　来(き)ました。

2）　（　　　　）と　日本(にほん)へ　来(き)ましたか。

……家族(かぞく)と　来(き)ました。

3）　あした　（　　　　）へ　行(い)きますか。

……どこも　行(い)きません。

4）　すみません。　京都まで　（　　　　）ですか。
　　……390円です。
5）　（　　　　）で　京都へ　行きますか。
　　……電車で　行きます。
6）　（　　　　）に　うちへ　帰りますか。
　　……7時に　帰ります。
7）　誕生日は　（　　　　）（　　　　）ですか。
　　……9月1日です。

5．例：　これ（は）　本です。
1）　わたしは　ミラーです。
　　ことし（　）　4月（　）　アメリカ（　）　来ました。
2）　毎日　電車（　）　会社（　）　行きます。
3）　きのう　9時半（　）　うち（　）　帰りました。
4）　けさ　わたしは　松本さん（　）　ここ（　）　来ました。
5）　おととい　どこ（　）　行きませんでした。
6）　あさって　一人（　）　デパート（　）　行きます。

6．――サントスさんの　手帳――

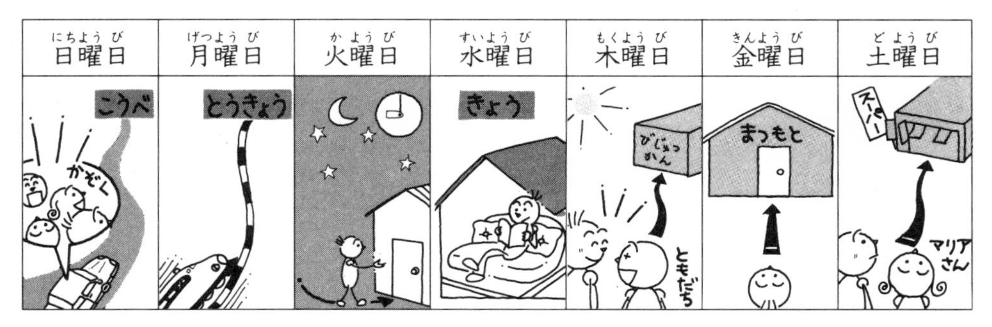

例：　サントスさんは　おととい　新幹線で　東京へ　行きました。
1）　サントスさんは　きのう　＿＿＿＿＿＿＿＿＿＿。
2）　サントスさんは　きょう　＿＿＿＿＿＿＿＿＿＿。
3）　サントスさんは　あしたの　午後　＿＿＿＿＿＿＿＿＿＿。
4）　サントスさんは　あさって　＿＿＿＿＿＿＿＿＿＿。
5）　サントスさんは　日曜日に　＿＿＿＿＿＿＿＿＿＿。

第６課

文型

1.　わたしは　ジュースを　飲みます。
2.　わたしは　駅で　新聞を　買います。
3.　いっしょに　神戸へ　行きませんか。
4.　ちょっと　休みましょう。

例文

1.　たばこを　吸いますか。
　　…いいえ、吸いません。

2.　毎朝　何を　食べますか。
　　…パンと　卵を　食べます。

3.　けさ　何を　食べましたか。
　　…何も　食べませんでした。

4.　土曜日　何を　しましたか。
　　…日本語を　勉強しました。　それから　映画を　見ました。
　　日曜日は　何を　しましたか。
　　…友達と　奈良へ　行きました。

5.　どこで　その　かばんを　買いましたか。
　　…メキシコで　買いました。

6.　いっしょに　ビールを　飲みませんか。
　　…ええ、飲みましょう。

会話

いっしょに　行きませんか

佐藤：　ミラーさん。

ミラー：　何ですか。

佐藤：　あした　友達と　お花見を　します。

　　　　ミラーさんも　いっしょに　行きませんか。

ミラー：　いいですね。　どこへ　行きますか。

佐藤：　大阪城公園です。

ミラー：　何時ですか。

佐藤：　10時です。　大阪城公園駅で　会いましょう。

ミラー：　わかりました。

佐藤：　じゃ、また　あした。

練習(れんしゅう) A

1. わたしは パン を 食(た)べます。
   くだもの
   にくと やさい
   あなたは なに …………………か。

2. わたしは 何(なに)も かい ません。
   たべ ません。
   し ませんでした。

3. わたしは デパート で 時計(とけい)を 買(か)いました。
   あの みせ
   とうきょう
   あなたは どこ ……………………………か。

4. いっしょに お茶(ちゃ)を のみ ませんか。
   京都(きょうと)へ いき ませんか。
   映画(えいが)を み ませんか。

5. やすみ ます → やすみ ましょう
   いき ます → いき ましょう
   たべ ます → たべ ましょう
   し ます → し ましょう

6

練習　B

1.　例：　→　ラジオを　聞きます

　1）　→　　2）　→　　3）　→　　4）　→

2.　例：　たばこを　吸いますか。（はい）　→　はい、吸います。

　1）　お酒を　飲みますか。（いいえ）　→

　2）　あした　日本語を　勉強しますか。（はい）　→

　3）　けさ　新聞を　読みましたか。（はい）　→

　4）　きのうの　晩　テレビを　見ましたか。（いいえ）　→

3.　例：　買います（かばん）　→　何を　買いますか。

　……かばんを　買います。

　1）　勉強します（日本語）　→

　2）　飲みます（紅茶）　→

　3）　食べました（魚）　→

　4）　買いました（雑誌と　CD）　→

4.　例：　あした　→　あした　何を　しますか。

　……デパートへ　行きます。

　1）　きょうの　午後　→　　2）　今晩　→

　3）　きのう　→　　4）　おととい　→

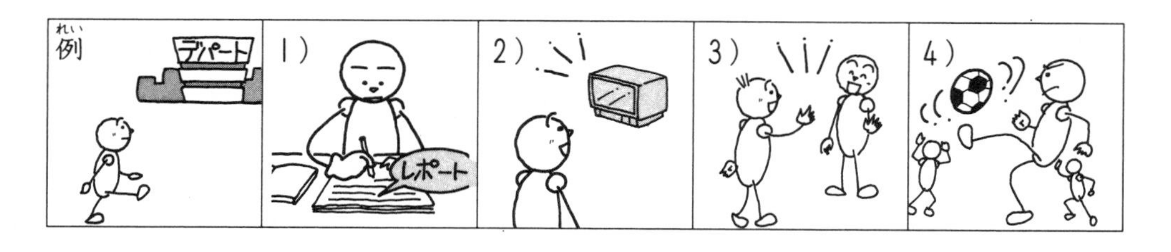

6

5.　例：写真を　撮ります（庭）→　どこで　写真を　撮りますか。
　　　　　　　　　　　　　　　　　……庭で　撮ります。

1）　ミラーさんに　会います（駅）→
2）　昼ごはんを　食べます（会社の　食堂）→
3）　牛乳を　買いました（スーパー）→
4）　日本語を　勉強しました（国）→

6.　例：　今晩　→　今晩　宿題を　します。　それから、CDを　聞きます。

1）　あした　→　　　　　　2）　来週の　土曜日　→
3）　きのうの　午後　→　　4）　先週の　日曜日　→

7.　例：　いっしょに　京都へ　行きませんか。
　　　　……ええ、行きましょう。

1）→　　　2）→　　　3）→　　　4）→

練習　C

1.　A：　日曜日　何を　しましたか。

　　B：　①手紙を　書きました。　それから　②ビデオを　見ました。

　　　　田中さんは？

　　A：　わたしは　京都へ　行きました。

　　1）　①　テニスを　します

　　　　　②　ビールを　飲みます

　　2）　①　図書館で　勉強します

　　　　　②　友達に　会います

　　3）　①　デパートで　ワインを　買います

　　　　　②　サントスさんの　うちへ　行きます

2.　A：　いつも　この　①店で　②本を　買いますか。

　　B：　ええ。

　　A：　わたしも　時々　ここで　②買います。

　　B：　そうですか。

　　1）　①　レストラン

　　　　　②　昼ごはんを　食べます

　　2）　①　図書館

　　　　　②　宿題を　します

　　3）　①　スーパー

　　　　　②　パンを　買います

3.　A：　今晩　いっしょに　ビールを　飲みませんか。

　　B：　ええ、いいですね。

　　A：　じゃ、6時に　駅で　会いましょう。

　　B：　わかりました。

　　1）　神戸へ　行きます

　　2）　ごはんを　食べます

　　3）　映画を　見ます

問題（もんだい）

1.　1）＿＿＿＿＿＿＿＿
　　2）＿＿＿＿＿＿＿＿
　　3）＿＿＿＿＿＿＿＿
　　4）＿＿＿＿＿＿＿＿
　　5）＿＿＿＿＿＿＿＿

2.　1）（　　）　2）（　　）　3）（　　）　4）（　　）　5）（　　）

3.

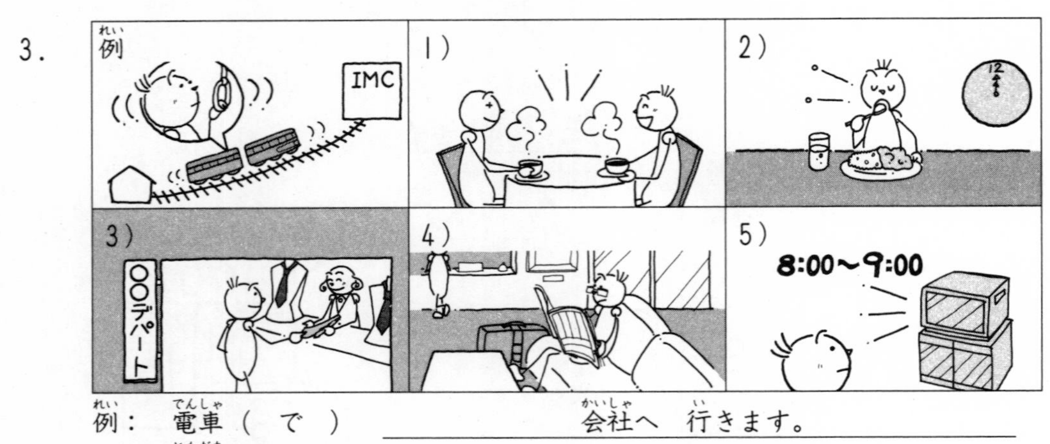

例（れい）：　電車（でんしゃ）（　で　）　＿＿＿会社（かいしゃ）へ　行（い）きます。
1）　友達（ともだち）（　　）　＿＿＿＿＿＿＿＿。
2）　12時（じ）（　　）　＿＿＿＿＿＿＿＿。
3）　デパート（　　）　＿＿＿＿＿＿＿＿。
4）　ロビー（　　）　＿＿＿＿＿＿＿＿。
5）　8時（じ）（　　）　9時（じ）（　　）　＿＿＿＿＿＿＿＿。

4.　例（れい）：　毎晩（まいばん）（（何時（なんじ）に）、いつ、どこで）　寝（ね）ますか。
　　……11時（じ）に　寝（ね）ます。
1）　日曜日（にちようび）（　どこで、何（なに）を、何（なん）で　）　しますか。
　　……テニスを　します。
2）　（　どこへ、どこで、いつ　）　その　カメラを　買（か）いましたか。
　　……大阪（おおさか）デパートで　買（か）いました。

3） けさ （ 何を、 何で、 どこで ） 食べましたか。
……何も 食べませんでした。

4） おととい （ どこで、 だれに、 何時に ） 会いましたか。
……グプタさんに 会いました。

5． 例： おととい 東京へ （ **行きました**、 行きます ）。

1） きのうの 晩 手紙を （ 書きます、 書きました ）。

2） 毎朝 新聞を （ 読みますか、 読みましたか ）。
……いいえ、読みません。

3） いっしょに 美術館へ （ 行きませんでしたか、 行きませんか ）。
……ええ、（ 行きましょう、 行きません ）。

4） あした 大阪城公園で 花見を （ しました、 します ）。

6．

ミラーさんの 毎日

ミラーさんは 毎朝 7時に 起きます。 朝ごはんは いつも パンと コーヒーです。 電車で 会社へ 行きます。 会社は 9時から 5時までです。 7時に うちへ 帰ります。 7時半に 晩ごはんを 食べます。 それから テレビを 見ます。 英語の 新聞を 読みます。 夜 12時に 寝ます。

土曜日と 日曜日は 働きません。 土曜日は 朝 図書館へ 行きます。 午後 テニスを します。 日曜日は どこも 行きません。 休みます。

例1： （ ○ ） ミラーさんは 毎朝 コーヒーを 飲みます。
例2： （ × ） ミラーさんは 毎朝 7時半に 起きます。

1）（　　）ミラーさんは 朝ごはんを 食べません。

2）（　　）ミラーさんは 月曜日から 金曜日まで 働きます。

3）（　　）ミラーさんは 毎朝 英語の 新聞を 読みます。

4）（　　）ミラーさんは 土曜日 どこも 行きません。

復習　A

1.　例：　わたし（ は ）　マイク・ミラーです。

1）　こちらは　IMC（　　）　マイク・ミラーさんです。
2）　カリナさんは　学生です。　タワポンさん（　　）　学生です。
3）　これは　コンピューター（　　）　雑誌です。
4）　それは　わたし（　　）　本です。
5）　あの　傘は　タワポンさん（　　）です。
6）　これは　日本（　　）　カメラです。
7）　事務所（　　）　どこですか。
8）　この　ネクタイ（　　）　ください。
9）　銀行は　10時（　　）　3時（　　）です。
10）　きのう（　　）　晩　10時（　　）　寝ました。
11）　わたしは　昼　12時（　　）　1時（　　）　休みます。
12）　サントスさんは　ブラジル（　　）　来ました。
13）　きのう　タクシー（　　）　うち（　　）　帰りました。
14）　わたしは　8月（　　）　友達（　　）　北海道（　　）　行きます。
15）　スーパー（　　）　パン（　　）　牛乳（　　）　買いました。
16）　けさ　何（　　）　食べませんでした。

A

2.

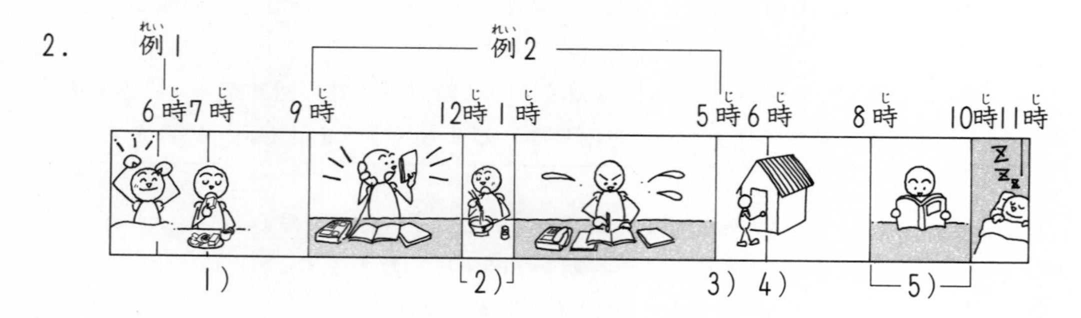

例1：　ミラーさんは　朝　6時に　起きます。
例2：　会社は　9時から　5時までです。

1）　ミラーさんは　＿＿＿＿＿＿＿＿＿＿＿＿＿＿＿＿＿＿＿＿。
2）　昼休みは　＿＿＿＿＿＿＿＿＿＿＿＿＿＿＿＿＿＿＿＿。
3）　会社は　5時に　＿＿＿＿＿＿＿＿＿＿＿＿＿＿＿＿＿＿＿＿。
4）　ミラーさんは　＿＿＿＿＿＿＿＿＿＿＿＿＿＿＿＿＿＿＿＿。
5）　ミラーさんは　＿＿＿＿＿＿＿＿＿＿＿＿＿＿＿＿＿＿＿＿。

3．　例：　あの　人は　（　だれ　）ですか。……ミラーさんです。

1）　太郎君は　（　　　　）ですか。……8歳です。

2）　それは　（　　　　）ですか。……テレホンカードです。

3）　それは　（　　　　）の　テープですか。……日本語の　テープです。

4）　これは　（　　　　）の　傘ですか。……わたしの　傘です。

5）　あの　かばんは　（　　　　）のですか。……カリナさんのです。

6）　電話は　（　　　　）ですか。……あそこです。

7）　受付は　（　　　　）ですか。……そちらです。

8）　お国は　（　　　　）ですか。……タイです。

9）　それは　（　　　　）の　ワインですか。……フランスの　ワインです。

10）　この　カメラは　（　　　　）ですか。……35,000円です。

11）　図書館の　電話番号は　（　　　　）ですか。……31の　8698です。

12）　今　（　　　　）ですか。……9時15分です。

13）　きょう　（　　　　）に　うちへ　帰りますか。……7時に　帰ります。

14）　会社は　（　　　　）から　（　　　　）までですか。
……10時から　6時までです。

15）　きょうは　（　　　　）ですか。……火曜日です。

16）　誕生日は　（　　　　）（　　　　）ですか。……2月11日です。

17）　（　　　　）へ　行きますか。……北海道へ　行きます。

18）　（　　　　）　行きますか。……6月に　行きます。

19）　（　　　　）と　行きますか。……一人で　行きます。

20）　（　　　　）で　行きますか。……飛行機で　行きます。

21）　日曜日　（　　　　）を　しましたか。……大阪で　映画を　見ました。

22）　いつも　（　　　　）で　新聞を　買いますか。……駅で　買います。

23）　神戸で　（　　　　）を　買いましたか。……靴を　買いました。

4．　例：　ミラーさんは　アメリカ人＿です＿か。……はい、アメリカ人＿です＿。

1）　ミラーさんは　学生＿＿＿か。……いいえ、学生＿＿＿＿＿＿＿。

2）　毎日　新聞を　読み＿＿＿か。……いいえ、読み＿＿＿＿＿＿＿。

3）　あした　病院へ　行き＿＿＿か。……いいえ、行き＿＿＿＿＿＿。

4）　きのう　どこへ　行き＿＿＿か。……どこも　行き＿＿＿＿＿＿。

5）　今晩　いっしょに　飲み＿＿＿か。
……ええ、いいですね。
じゃ、6時に　駅で　会い＿＿＿＿＿。

A

第（だい）7課（か）

文型（ぶんけい）

1. わたしは　ワープロで　手紙（てがみ）を　書（か）きます。
2. わたしは　木村（きむら）さんに　花（はな）を　あげます。
3. わたしは　カリナさんに　チョコレートを　もらいました。
   　　　　　　　　　（から）

例文（れいぶん）

1. テレビで　日本語（にほんご）を　勉強（べんきょう）しましたか。
   …いいえ、ラジオで　勉強（べんきょう）しました。

2. 日本語（にほんご）で　レポートを　書（か）きますか。
   …いいえ、英語（えいご）で　書（か）きます。

3. "Goodbye"は　日本語（にほんご）で　何（なん）ですか。
   …「さようなら」です。

4. だれに　クリスマスカードを　書（か）きますか。
   …家族（かぞく）と　友達（ともだち）に　書（か）きます。

5. それは　何（なん）ですか。
   …手帳（てちょう）です。　山田（やまだ）さんに　もらいました。

6. もう　新幹線（しんかんせん）の　切符（きっぷ）を　買（か）いましたか。
   …はい、もう　買（か）いました。

7. もう　昼（ひる）ごはんを　食（た）べましたか。
   …いいえ、まだです。　これから　食（た）べます。

会話(かいわ)

ごめんください

ホセ・サントス　：　ごめんください。
山田一郎(やまだいちろう)　：　いらっしゃい。　どうぞ　お上(あ)がり　ください。
ホセ・サントス　：　失礼(しつれい)します。

山田友子(やまだともこ)　：　コーヒーは　いかがですか。
マリア・サントス：　ありがとう　ございます。

山田友子(やまだともこ)　：　どうぞ。
マリア・サントス：　いただきます。
この　スプーン、すてきですね。
山田友子(やまだともこ)　：　ええ。　会社(かいしゃ)の　人(ひと)に　もらいました。
ヨーロッパ旅行(りょこう)の　お土産(みやげ)です。

練習(れんしゅう) A

1\.

日本人(にほんじん)	は	はし	で	ごはんを　食(た)べます。
インドネシア人(じん)		スプーンと　フォーク		
アメリカ人(じん)		ナイフと　フォーク		
		なん		……………………………か。

2\.

わたしは	にほんご	で	レポートを　書(か)きます。
	えいご		
	ちゅうごくご		

3\.

「ありがとう」は	えいご	で	"Thank you"	です。
	スペインご		"Gracias"	
	ちゅうごくご		"谢谢"	
	タイご		なん	……か。

4\.

わたしは	さとうさん	に	電話(でんわ)を　かけます。
	ともだち		
	ちち		
あなたは	だれ		…………………………か。

5\.

わたしは	ワットさん	に	本(ほん)を　借(か)りました。
	せんせい		
	かいしゃの　ひと		
あなたは	だれ		……………………………か。

6\.

もう	荷物(にもつ)を	おくり	ました。
	大阪城(おおさかじょう)へ	いき	ました。
	プレゼントを	かい	ました。

練習(れんしゅう) B

1. 例(れい)： ごはんを 食(た)べます → はしで ごはんを 食(た)べます。

   1) 手紙(てがみ)を 書(か)きます →
   2) レポートを 送(おく)ります →
   3) 紙(かみ)を 切(き)ります →
   4) ごはんを 食(た)べます →

2. 例(れい)： → これは 日本語(にほんご)で 何(なん)ですか。

   ……「パソコン」です。

   1) →　　2) →　　3) →　　4) →

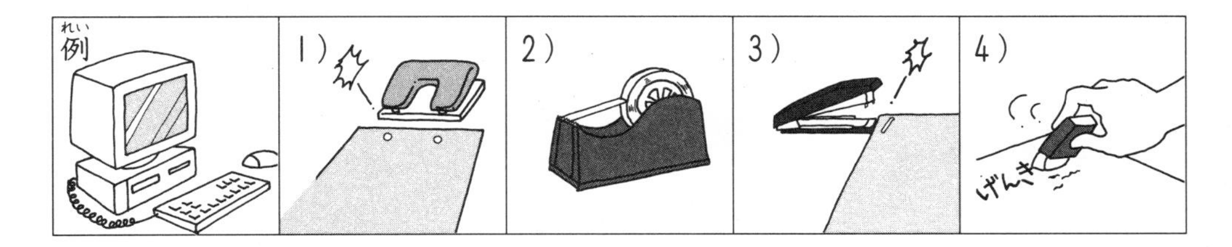

3. 例(れい)： あげます → テレサちゃんに ノートを あげます。

   1) 貸(か)します →　　2) 教(おし)えます →
   3) 書(か)きます →　　4) かけます →

4.　例(れい)：　もらいます　→　父(ちち)に　シャツを　もらいました。

1）　借(か)ります　→　　　　2）　習(なら)います　→

3）　もらいます　→　　　　4）　もらいます　→

5.　例(れい)：　習(なら)います　→　だれに　英語(えいご)を　習(なら)いましたか。

……ワットさんに　習(なら)いました。

1）　書(か)きます　→　　　　2）　かけます　→

3）　もらいます　→　　　　4）　借(か)ります　→

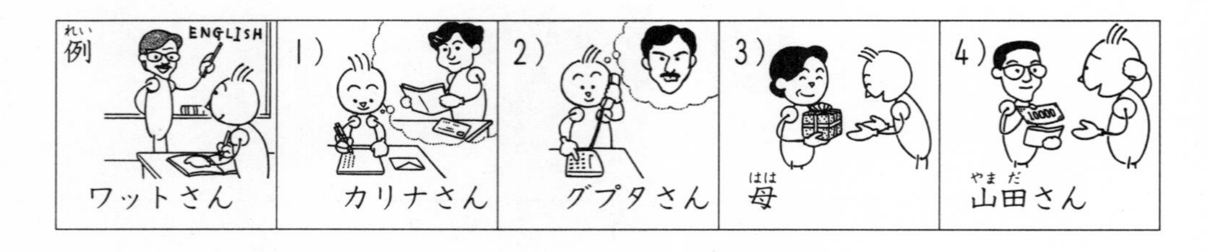

6.　例(れい)：　お母(かあ)さんの　誕生日(たんじょうび)に　何(なに)を　あげましたか。（花(はな)）

→　花(はな)を　あげました。

1）　去年(きょねん)の　クリスマスに　何(なに)を　もらいましたか。（ネクタイと　本(ほん)）　→

2）　どこで　日本語(にほんご)を　習(なら)いましたか。（アメリカ）　→

3）　いつ　家族(かぞく)に　電話(でんわ)を　かけますか。（あした）　→

4）　だれに　この　CDを　借(か)りましたか。（友達(ともだち)）　→

7.　例(れい)1：　切符(きっぷ)を　買(か)います（はい）　→　もう　切符(きっぷ)を　買(か)いましたか。

……はい、もう　買(か)いました。

例(れい)2：　手紙(てがみ)を　書(か)きます（いいえ）　→　もう　手紙(てがみ)を　書(か)きましたか。

……いいえ、まだです。

1）　レポートを　送(おく)ります（いいえ）　→

2）　京都(きょうと)へ　行(い)きます（はい）　→

3）　ミラーさんは　帰(かえ)ります（いいえ）　→

4）　テレサちゃんは　寝(ね)ます（はい）　→

練習(れんしゅう) C

1. A： これは　日本語(にほんご)で　何(なん)ですか。
   B： 「はさみ」です。
   A： 「はさみ」ですか。
   B： はい、そうです。

1） ホッチキス
2） 消(け)しゴム
3） セロテープ

2. A： その　①時計(とけい)、すてきですね。
   B： ありがとう　ございます。
   誕生日(たんじょうび)に　②父(ちち)に　もらいました。

1） ① シャツ
　　② 友達(ともだち)
2） ① 靴(くつ)
　　② 母(はは)
3） ① ネクタイ
　　② 彼女(かのじょ)

3. A： もう　①昼(ひる)ごはんを　食(た)べましたか。
   B： いいえ、まだです。
   ②これから　①食(た)べます。

1） ① レポートを　書(か)きます
　　② 今晩(こんばん)
2） ① 病院(びょういん)へ　行(い)きます
　　② きょうの　午後(ごご)
3） ① 新幹線(しんかんせん)の　切符(きっぷ)を　買(か)います
　　② あした

問題

1.　1）＿＿＿＿＿＿＿＿＿＿＿＿＿＿＿＿

　　2）＿＿＿＿＿＿＿＿＿＿＿＿＿＿＿＿

　　3）＿＿＿＿＿＿＿＿＿＿＿＿＿＿＿＿

　　4）＿＿＿＿＿＿＿＿＿＿＿＿＿＿＿＿

　　5）＿＿＿＿＿＿＿＿＿＿＿＿＿＿＿＿

2.　1）①　②　③

　　2）①　②　③

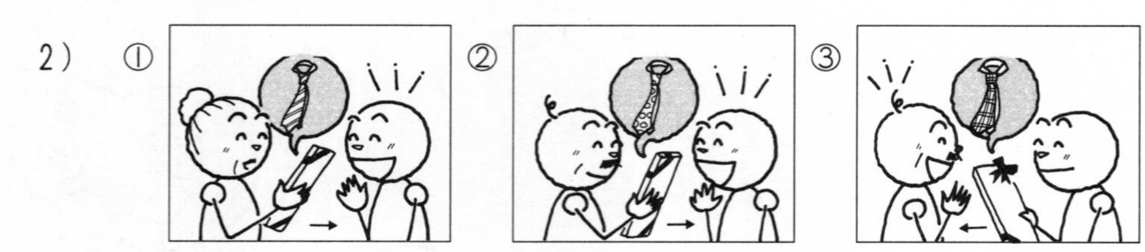

3.　1）（　　）　2）（　　）　3）（　　）

4.

例：　友達に　＿＿＿本を　貸します＿＿＿。

1）　学生に　＿＿＿＿＿＿＿＿＿＿＿＿。

2）　先生に　＿＿＿＿＿＿＿＿＿＿＿＿。

3）　家族に　＿＿＿＿＿＿＿＿＿＿＿＿。

4）　父に　＿＿＿＿＿＿＿＿＿＿＿＿＿。

5）　彼女に　＿＿＿＿＿＿＿＿＿＿＿＿。

5．　例(れい)：　これは　イタリア（　の　）　靴(くつ)です。

　　1）　わたしは　はし（　　　）　ごはんを　食(た)べます。

　　2）　ファクス（　　　）　レポートを　送(おく)りました。

　　3）　「さようなら」は　英語(えいご)（　　　）　何(なん)ですか。

　　4）　わたしは　きのう　彼女(かのじょ)（　　　）　手紙(てがみ)（　　　）　書(か)きました。

　　5）　わたしは　友達(ともだち)（　　　）　お土産(みやげ)（　　　）　もらいました。

6．　例(れい)：　もう　昼(ひる)ごはんを　食(た)べましたか。

　　……いいえ、＿まだです＿。

　　　　これから　＿食(た)べます＿。　いっしょに　＿食(た)べませんか＿。

　　1）　もう　大阪城(おおさかじょう)へ　行(い)きましたか。

　　……いいえ、＿＿＿＿＿＿＿＿。

　　　　日曜日(にちようび)　ミラーさんと　＿＿＿＿＿＿。　いっしょに　＿＿＿＿＿＿。

　　2）　もう　クリスマスカードを　書(か)きましたか。

　　……はい、＿＿＿＿＿＿＿＿。

　　3）　もう　荷物(にもつ)を　送(おく)りましたか。

　　……いいえ、＿＿＿＿＿＿＿＿。

　　　　きょうの　午後(ごご)　＿＿＿＿＿＿＿＿。

　　4）　テレサちゃんは　もう　寝(ね)ましたか。

　　……はい、＿＿＿＿＿＿＿＿。

7．

土曜日(どようび)と　日曜日(にちようび)

　けさ　図書館(としょかん)へ　行(い)きました。　図書館(としょかん)で　太郎君(たろうくん)に　会(あ)いました。太郎君(たろうくん)と　いっしょに　ビデオを　見(み)ました。　わたしは　旅行(りょこう)の　本(ほん)を　借(か)りました。

　あしたは　日曜日(にちようび)です。　朝(あさ)　旅行(りょこう)の　本(ほん)を　読(よ)みます。午後(ごご)　デパートへ　行(い)きます。　母(はは)の　誕生日(たんじょうび)の　プレゼントを　買(か)います。　去年(きょねん)は　母(はは)に　花(はな)を　あげました。　ことしは　日本(にほん)の　花(はな)の　本(ほん)を　あげます。

　　1）（　　）きょうは　土曜日(どようび)です。

　　2）（　　）ミラーさんは　けさ　太郎君(たろうくん)と　図書館(としょかん)へ　行(い)きました。

　　3）（　　）ミラーさんは　図書館(としょかん)で　旅行(りょこう)の　本(ほん)を　読(よ)みました。

　　4）（　　）ミラーさんは　ことしも　お母(かあ)さんに　花(はな)を　あげます。

第(だい)8課(か)

文型(ぶんけい)

1. 桜(さくら)は　きれいです。
2. 富士山(ふじさん)は　高(たか)いです。
3. 桜(さくら)は　きれいな　花(はな)です。
4. 富士山(ふじさん)は　高(たか)い　山(やま)です。

例文(れいぶん)

1. 大阪(おおさか)は　にぎやかですか。
   …はい、にぎやかです。

2. 琵琶湖(びわこ)の　水(みず)は　きれいですか。
   …いいえ、あまり　きれいじゃ　ありません。
   　　　　　　　　　　(では)

3. ペキンは　今(いま)　寒(さむ)いですか。
   …はい、とても　寒(さむ)いです。
   シャンハイも　寒(さむ)いですか。
   …いいえ、あまり　寒(さむ)くないです。

4. その　辞書(じしょ)は　いいですか。
   …いいえ、あまり　よくないです。

5. 東京(とうきょう)の　地下鉄(ちかてつ)は　どうですか。
   …きれいです。　そして　便利(べんり)です。

6. きのう　映画(えいが)を　見(み)ました。
   …どんな　映画(えいが)ですか。
   「七人(しちにん)の　侍(さむらい)」です。　古(ふる)いですが、とても　おもしろい　映画(えいが)です。

7. ミラーさんの　傘(かさ)は　どれですか。
   …あの　青(あお)い　傘(かさ)です。

会話(かいわ)

そろそろ　失礼(しつれい)します

山田一郎(やまだいちろう)	：	マリアさんは　もう　日本(にほん)の　生活(せいかつ)に 慣(な)れましたか。
マリア・サントス	：	ええ。　毎日(まいにち)　とても　楽(たの)しいです。
山田一郎(やまだいちろう)	：	そうですか。　サントスさん、お仕事(しごと)は　どうですか。
ホセ・サントス	：	そうですね。　忙(いそが)しいですが、おもしろいです。

山田友子(やまだともこ)	：	コーヒー、もう　一杯(いっぱい)　いかがですか。
マリア・サントス	：	いいえ、けっこうです。

ホセ・サントス	：	あ、もう　8時(じ)ですね。　そろそろ　失礼(しつれい)します。
山田一郎(やまだいちろう)	：	そうですか。
マリア・サントス	：	きょうは　どうも　ありがとう　ございました。
山田友子(やまだともこ)	：	いいえ。　また　いらっしゃって　ください。

練習（れんしゅう） A

1．　ワット先生（せんせい）は　ハンサム　です。
　　　　　　　　　　しんせつ
　　　　　　　　　　いい
　　　　　　　　　　おもしろい
　　　　　　　　　　どう　……か。

2．

きれい	です	→	きれい	じゃ	ありません
げんき	です	→	げんき	じゃ	ありません
にぎやか	です	→	にぎやか	じゃ	ありません

たか	い	です	→	たか	くない	です
おいし	い	です	→	おいし	くない	です
い	い	です	→	よ	くない	です

3．　奈良（なら）は　きれい　な　町（まち）です。
　　　　　　　　しずか　な
　　　　　　　　ふる　い
　　　　　　　　い　い
　　　　　　　　どんな　………か。

練習　B

1．　例：　→　ミラーさんは　親切です。

☟　1）　→　　2）　→　　3）　→　　4）　→

2．　例1：　山田さん・元気　→　山田さんは　元気じゃ　ありません。
　　例2：　この　自転車・新しい　→　この　自転車は　新しくないです。

　　1）　イーさん・暇　→
　　2）　ワンさんの　部屋・きれい　→
　　3）　ミラーさん・忙しい　→
　　4）　日本語・易しい　→

3．　例1：　ミラーさん・元気（はい）　→　ミラーさんは　元気ですか。
　　　　　　　　　　　　……はい、元気です。
　　例2：　日本の　カメラ・高い（いいえ）　→　日本の　カメラは　高いですか。
　　　　　　　　　　　　……いいえ、高くないです。

　　1）　あの　レストラン・静か（いいえ）　→
　　2）　会社の　食堂・安い（はい）　→
　　3）　その　パソコン・いい（いいえ、あまり）　→
　　4）　ファクス・便利（はい、とても）　→

4．　例1：　日本の　地下鉄（便利、きれい）　→　日本の　地下鉄は　どうですか。
　　　　　　　　　　　　……便利です。　そして、きれいです。
　　例2：　日本の　車（高い、いい）　→　日本の　車は　どうですか。
　　　　　　　　　　　　……高いですが、いいです。

　　1）　会社の　寮（古い、きれい）　→
　　2）　会社の　人（親切、おもしろい）　→
　　3）　日本の　食べ物（おいしい、高い）　→
　　4）　仕事（忙しい、おもしろい）　→

5.　例1：　花を　買いました／きれい　→　きれいな　花を　買いました。
　　例2：　花を　買いました／赤い　→　赤い　花を　買いました。

1）　牛乳を　飲みました／冷たい　→

2）　ビデオを　借りました／新しい　→

3）　プレゼントを　もらいました／すてき　→

4）　きのうの　晩　レストランで　食べました／有名　→

6.　例：　大阪・町（にぎやか）　→　大阪は　どんな　町ですか。
　　　　　　　　　　　　　　　　　……にぎやかな　町です。

1）　「七人の　侍」・映画（おもしろい）　→

2）　サントスさん・人（親切）　→

3）　IMC・会社（新しい）　→

4）　スイス・国（きれい）　→

7.　例：　大阪・静かな　町（いいえ）　→　大阪は　静かな　町ですか。
　　　　　　　　　　　　　　　　　……いいえ、静かな　町じゃ　ありません。

1）　IMC・大きい　会社（いいえ）　→

2）　ワットさん・いい　先生（はい）　→

3）　さくら大学・有名な　大学（いいえ、あまり）　→

4）　富士山・きれいな　山（はい、とても）　→

8.　例：　ミラーさんの　傘（黒い）　→　ミラーさんの　傘は　どれですか。
　　　　　　　　　　　　　　　　　……この　黒い　傘です。

1）　カリナさんの　かばん（赤い）　→

2）　サントスさんの　靴（白い）　→

3）　松本さんの　机（大きい）　→

4）　佐藤さんの　うち（新しい）　→

練習(れんしゅう) C

1. A： お元気(げんき)ですか。

   B： はい、元気(げんき)です。

   A： ①お仕事(しごと)は　どうですか。

   B： そうですね。　②忙(いそが)しいですが、②おもしろいです。

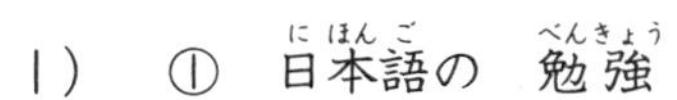

   1） ①　日本語(にほんご)の　勉強(べんきょう)

   　　②　おもしろい・難(むずか)しい

   2） ①　大学(だいがく)の　寮(りょう)

   　　②　小(ちい)さい・きれい

   3） ①　日本(にほん)の　生活(せいかつ)

   　　②　忙(いそが)しい・楽(たの)しい

2. A： 先週(せんしゅう)　①金閣寺(きんかくじ)へ　行(い)きました。

   B： そうですか。　わたしも　来週(らいしゅう)　行(い)きます。

   　　どんな　所(ところ)ですか。

   A： ②きれいな　所(ところ)ですよ。

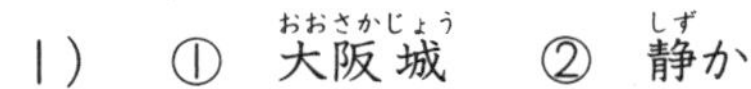

   1） ①　大阪城(おおさかじょう)　②　静(しず)か

   2） ①　長崎(ながさき)　②　おもしろい

   3） ①　奈良(なら)　②　いい

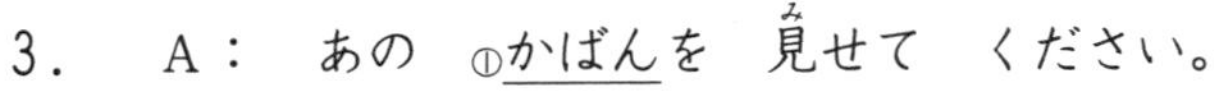

3. A： あの　①かばんを　見(み)せて　ください。

   B： どれですか。

   A： あの　②赤(あか)い　①かばんです。

   B： これですか。

   A： はい、そうです。

   1） ①　靴(くつ)　②　黒(くろ)い

   2） ①　傘(かさ)　②　青(あお)い

   3） ①　シャツ　②　白(しろ)い

8

問題

1. 1) ＿＿＿＿＿＿＿＿＿＿
   2) ＿＿＿＿＿＿＿＿＿＿
   3) ＿＿＿＿＿＿＿＿＿＿
   4) ＿＿＿＿＿＿＿＿＿＿
   5) ＿＿＿＿＿＿＿＿＿＿

2. 1) ①　②　③

   2) ①　②　③

3. 1)（　　）　2)（　　）　3)（　　）

4. 例：　タイは　寒いですか。……いいえ、（　暑い　）です。

小さい　　古い　　易しい　　忙しい　　~~暑い~~

1)　あした　暇ですか。……いいえ、（　　　　　）です。

2)　あなたの　会社は　新しいですか。……いいえ、（　　　　　）です。

3)　日本語は　難しいですか。……いいえ、（　　　　　）です。

4)　あなたの　うちは　大きいですか。……いいえ、（　　　　　）です。

5.　例：　日本の　食べ物は　安いですか。

　　……いいえ、（　安くないです　）。　とても　高いです。

1）　あなたの　パソコンは　新しいですか。

　　……いいえ、（　　　　　　　　　　）。　古いです。

2）　イギリスは　今　暑いですか。

　　……いいえ、あまり　（　　　　　　　　　　）。

3）　大阪は　静かですか。

　　……いいえ、（　　　　　　　　　　）。　とても　にぎやかです。

4）　この　手帳は　便利ですか。

　　……いいえ、あまり　（　　　　　　　　　　）。

6.　例：　ワンさんは　（　元気です→　元気な　）　人です。

1）　IMCは　（　新しいです→　　　　　　　）　会社です。

2）　富士山は　（　有名です→　　　　　　　）　山です。

3）　東京は　（　おもしろいです→　　　　　　　）　町です。

4）　桜は　（　きれいです→　　　　　　　）　花です。

5）　インドネシアは　（　暑いです→　　　　　　　）　国です。

7.

ワット先生

ワットさんは　さくら大学の　英語の　先生です。　毎日　赤い　自動車で　大学へ　行きます。　さくら大学は　大きい　大学では　ありませんが、いい　大学です。　ワットさんは　いつも　食堂で　昼ごはんを　食べます。　食堂は　12時から　1時まで　とても　にぎやかです。　食堂の　食べ物は　おいしいです。　そして、安いです。　大学の　仕事は　忙しいですが、楽しいです。

1）（　　）ワットさんは　大きい　大学で　英語を　教えます。

2）（　　）ワットさんの　自動車は　青いです。

3）（　　）食堂の　食べ物は　高くないです。

4）（　　）大学の　仕事は　おもしろくないです。

第9課

文型

1.　わたしは　イタリア料理が　好きです。
2.　わたしは　日本語が　少し　わかります。
3.　きょうは　子どもの　誕生日ですから、早く　帰ります。

例文

1.　お酒が　好きですか。
　…いいえ、好きじゃ　ありません。
　　　　　　（では）

2.　どんな　スポーツが　好きですか。
　…サッカーが　好きです。

3.　カリナさんは　絵が　上手ですか。
　…はい、[カリナさんは]　とても　上手です。

4.　田中さんは　インドネシア語が　わかりますか。
　…いいえ、全然　わかりません。

5.　細かい　お金が　ありますか。
　…いいえ、ありません。

6.　毎朝　新聞を　読みますか。
　…いいえ、時間が　ありませんから、読みません。

7.　どうして　きのう　早く　帰りましたか。
　…用事が　ありましたから。

会話

残念です

ミラー：　もしもし、ミラーです。
木　村：　ああ、ミラーさん、こんばんは。　お元気ですか。
ミラー：　ええ、元気です。
　　　　　あのう、木村さん、小沢征爾の　コンサート、いっしょに
　　　　　いかがですか。
木　村：　いいですね。　いつですか。
ミラー：　来週の　金曜日の　晩です。
木　村：　金曜日ですか。
　　　　　金曜日の　晩は　ちょっと……。
ミラー：　だめですか。
木　村：　ええ、友達と　約束が　ありますから、……。
ミラー：　そうですか。　残念ですね。
木　村：　ええ。　また　今度　お願いします。

練習（れんしゅう） A

1. わたしは　えいが／スポーツ／かんこくりょうり　が　好（す）きです。

2. サントスさんは　うた／りょうり／にほんご　が　上手（じょうず）です。

3. わたしは　ひらがな／かんじ／にほんご　が　わかります。

4. わたしは　カメラ／くるま／やくそく／ようじ　が　あります。

5. いそがしいです／しごとが　あります／じかんが　ありません　から、どこも　行（い）きません。

9

練習（れんしゅう） B

1\. 例（れい）1： スポーツ（はい） → ミラーさんは　スポーツが　好（す）きですか。
　　　　　　　　　　　　　　　……はい、好（す）きです。
　例（れい）2： ダンス（いいえ） → ミラーさんは　ダンスが　好（す）きですか。
　　　　　　　　　　　　　　　……いいえ、好（す）きじゃ　ありません。

1） 日本料理（にほんりょうり）（はい） →
2） カラオケ（いいえ、あまり） →
3） 旅行（りょこう）（はい、とても） →
4） 魚（さかな）（いいえ、あまり） →

2\. 例（れい）： → ミラーさんは　どんな　スポーツが　好（す）きですか。
　　　　　……野球（やきゅう）が　好（す）きです。

1） →　　2） →　　3） →　　4） →

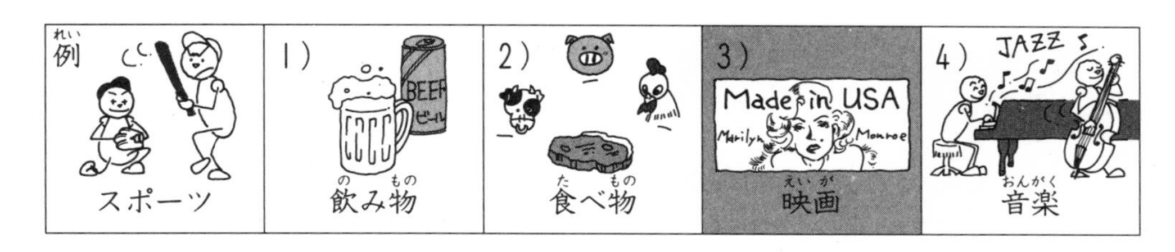

3\. 例（れい）1： 佐藤（さとう）さん → 佐藤（さとう）さんは　歌（うた）が　上手（じょうず）です。
　例（れい）2： ミラーさん → ミラーさんは　歌（うた）が　上手（じょうず）じゃ　ありません。

1） マリアさん →　　　2） 松本（まつもと）さん →
3） 山田（やまだ）さんの　奥（おく）さん →　　　4） カリナさん →

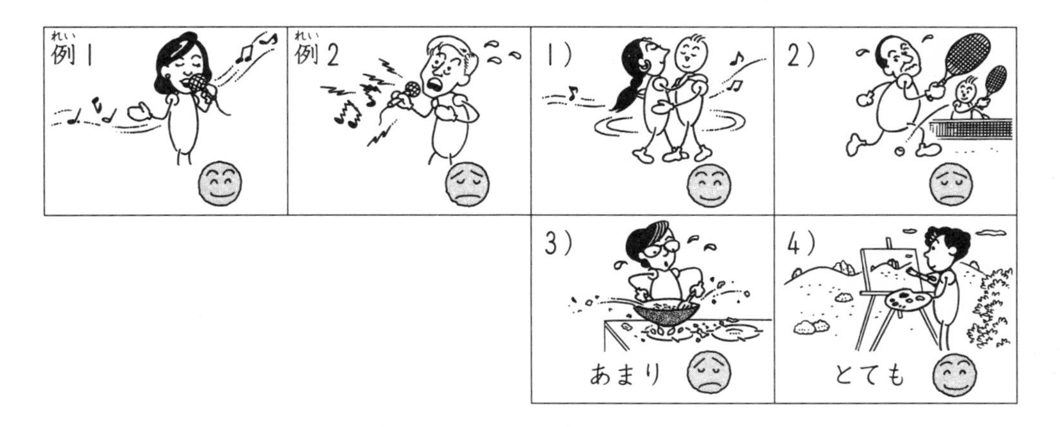

9

4.　例：　マリアさん・かたかな（はい、少し）

→　マリアさんは　かたかなが　わかりますか。

……はい、少し　わかります。

1）　シュミットさん・英語（はい、よく）→

2）　テレサちゃん・漢字（いいえ、あまり）→

3）　サントスさん・日本語（はい、だいたい）→

4）　山田さん・フランス語（いいえ、全然）→

5.　例：　自動車　→　ミラーさんは　自動車が　ありますか。

☞　……いいえ、ありません。

1）　自転車　→

2）　ファクス　→

3）　お金　→

4）　パソコン　→

6.　例：　→　時間が　ありませんから、タクシーで　行きます。

1）　→　　2）　→　　3）　→　　4）　→

7.　例：　京都へ　行きません（約束が　あります）

→　どうして　京都へ　行きませんか。

……約束が　ありますから。

1）　ワープロで　手紙を　書きます（字が　下手です）→

2）　ご主人は　テニスを　しません（夫は　スポーツが　嫌いです）→

3）　タイ語の　本を　買いました（来月　タイへ　行きます）→

4）　きのう　神戸へ　行きませんでした（仕事が　たくさん　ありました）→

練習(れんしゅう) C

1. A：①イタリア料理(りょうり)が　好(す)きですか。
   B：ええ、好(す)きです。
   A：じゃ、日曜日(にちようび)　いっしょに
   　　②食(た)べませんか。
   B：いいですね。

   1）①テニス　②します
   2）①ビール　②飲(の)みます
   3）①絵(え)　②美術館(びじゅつかん)へ　行(い)きます

2. A：①映画(えいが)が　好(す)きですか。
   B：ええ、好(す)きですが…、あまり　②見(み)ません。
   　　③時間(じかん)が　ありませんから。

   1）①旅行(りょこう)　②します
   　　③お金(かね)が　ありません
   2）①カラオケ　②行(い)きます
   　　③歌(うた)が　下手(へた)です
   3）①スポーツ　②します
   　　③時間(じかん)が　ありません

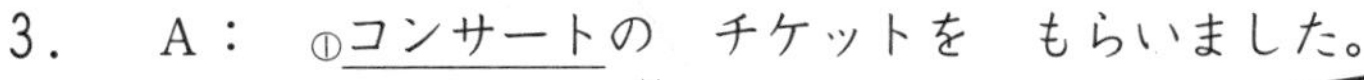

3. A：①コンサートの　チケットを　もらいました。
   　　いっしょに　行(い)きませんか。
   B：いつですか。
   A：来週(らいしゅう)の　土曜日(どようび)です。
   B：すみません。　来週(らいしゅう)の　土曜日(どようび)は
   　　②仕事(しごと)が　ありますから。
   A：そうですか。　残念(ざんねん)ですね。

   1）①野球(やきゅう)　②用事(ようじ)
   2）①歌舞伎(かぶき)　②仕事(しごと)
   3）①クラシックの　コンサート
   　　②約束(やくそく)

問題

1. 1) ＿＿＿＿＿＿＿＿＿＿＿＿＿＿＿＿
   2) ＿＿＿＿＿＿＿＿＿＿＿＿＿＿＿＿
   3) ＿＿＿＿＿＿＿＿＿＿＿＿＿＿＿＿
   4) ＿＿＿＿＿＿＿＿＿＿＿＿＿＿＿＿
   5) ＿＿＿＿＿＿＿＿＿＿＿＿＿＿＿＿

2. 1)（　　） 2)（　　） 3)（　　） 4)（　　） 5)（　　）

3. 例：　日曜日は　（　いつも　）　テニスを　します。

全然　　とても　　たくさん　　よく　　~~いつも~~

1)　マリアさんは　漢字が　（　　　　）　わかりません。
2)　あの　人は　お金が　（　　　　）　あります。
3)　この　パンは　（　　　　）　おいしいです。
4)　ワンさんは　英語が　（　　　　）　わかります。

4. 例：　松本さんの　奥さんは　（　どんな　）　人ですか。
……親切な　人です。
1)　カリナさんは　（　　　　）　料理が　好きですか。
……韓国料理が　好きです。
2)　（　　　　）　あの　店で　ワインを　買いますか。
……安いですから。
3)　勉強は　（　　　　）ですか。
……おもしろいです。
4)　あなたの　かばんは　（　　　　）ですか。
……あれです。

5\. 例：　ビール（　を　）　飲みます。

1）　マリアさんは　ダンス（　　　）　上手です。

2）　わたしは　タイ語（　　　）　わかりません。

3）　日曜日は　友達と　約束（　　　）　あります。

4）　あしたは　忙しいです（　　　）、どこも　行きません。

5）　どんな　映画（　　　）　好きですか。

6）　歌（　　　）　下手です（　　　）、カラオケが　嫌いです。

6\. 例：　時間が　ありませんから、本を　読みません。

~~本を　読みません~~	銀行は　休みです	毎週　します
何も　買いません	熱い　コーヒーを　飲みます	

1）　テニスが　好きですから、＿＿＿＿＿＿＿＿＿＿＿＿＿＿。

2）　寒いですから、＿＿＿＿＿＿＿＿＿＿＿＿＿＿＿＿＿＿。

3）　お金が　ありませんから、＿＿＿＿＿＿＿＿＿＿＿＿＿＿。

4）　あしたは　日曜日ですから、＿＿＿＿＿＿＿＿＿＿＿＿＿。

7\.

山田さんと　ダンス

山田さんは　ダンスが　好きです。　毎晩　ダンスの　学校へ　行きます。ダンスの　先生は　きれいな　人です。　山田さんは　上手では　ありませんが、きれいな　先生に　習いますから、毎日　楽しいです。先生の　誕生日に　コンサートの　チケットを　あげました。　先生は　友達と　行きました。　山田さんは　とても　残念です。

1）（　　）山田さんは　ダンスが　好きですから、毎日　学校へ　行きます。

2）（　　）山田さんは　ダンスが　上手ですから、時々　ダンスを　教えます。

3）（　　）山田さんは　先生に　コンサートの　チケットを　もらいました。

4）（　　）山田さんは　先生と　いっしょに　音楽を　聞きました。

第10課

文型

1. あそこに　佐藤さんが　います。
2. 机の　上に　写真が　あります。
3. 家族は　ニューヨークに　います。
4. 東京ディズニーランドは　千葉県に　あります。

10

例文

1. あそこに　男の　人が　いますね。　あの　人は　だれですか。
…IMCの　松本さんです。

2. この　近くに　電話が　ありますか。
…はい、あそこに　あります。

3. 庭に　だれが　いますか。
…だれも　いません。　猫が　います。

4. 箱の　中に　何が　ありますか。
…古い　手紙や　写真[など]が　あります。

5. ミラーさんは　どこに　いますか。
…会議室に　います。

6. 郵便局は　どこに　ありますか。
…駅の　近くです。　銀行の　前に　あります。

会話(かいわ)

チリソースは　ありませんか

ミラー　　：　すみません。　ユニューヤ・ストアは　どこですか。
女(おんな)の　人(ひと)：　ユニューヤ・ストアですか。
　　　　　　　あそこに　白(しろ)い　ビルが　ありますね。
　　　　　　　あの　ビルの　中(なか)です。
ミラー　　：　そうですか。　どうも　すみません。
女(おんな)の　人(ひと)：　いいえ。

ミラー　　：　あのう、チリソースは　ありませんか。
店員(てんいん)　　：　はい。
　　　　　　　右(みぎ)の　奥(おく)に　スパイス・コーナーが　あります。
　　　　　　　チリソースは　下(した)から　2段目(だんめ)です。
ミラー　　：　わかりました。　どうも。

練習(れんしゅう) A

1. あそこに

あそこに	やまださん おんなの　ひと こども	が　います。
	だれ	……………か。

2. あそこに

あそこに	でんわ ビル こうえん	が　あります。
	なに	……………か。

3. スーパーの

スーパーの	まえ となり なか	に　喫茶店(きっさてん)が　あります。

4. ミラーさんは

ミラーさんは	かいぎしつ エレベーターの　まえ 1かい	に　います。
	どこ	……………か。

5. 本屋(ほんや)は

本屋(ほんや)は	えきの　ちかく ぎんこうの　となり はなやと　スーパーの　あいだ	に　あります。
	どこ	……………か。

10

練習(れんしゅう) B

1. 例(れい)1： → 教室(きょうしつ)に 学生(がくせい)が います。
   例(れい)2： → あそこに ポストが あります。
   1） →　　2） →　　3） →　　4） →

2. 例(れい)： ドア・スイッチ → ドアの 右(みぎ)に スイッチが あります。
   1） いす・猫(ねこ) →　　2） 店(みせ)・車(くるま) →
   3） 木(き)・男(おとこ)の 子(こ) →　　4） 冷蔵庫(れいぞうこ)・いろいろな 物(もの) →

3. 例(れい)： テーブルの 上(うえ)・何(なに) → テーブルの 上(うえ)に 何(なに)が ありますか。
   ……かばんが あります。
   1） ベッドの 下(した)・何(なに) →　　2） 部屋(へや)・だれ →
   3） 窓(まど)の 左(ひだり)・何(なに) →　　4） 庭(にわ)・だれ →

4．　例（れい）1：　ミラーさん　→　ミラーさんは　どこに　いますか。
　　　　　　　　　　　　……事務所（じむしょ）に　います。
　　例（れい）2：　はさみ　→　はさみは　どこに　ありますか。
　　　　　　　　　　　　……箱（はこ）の　中（なか）に　あります。

1）　男（おとこ）の　子（こ）　→　　　　2）　自転車（じてんしゃ）　→
3）　犬（いぬ）　→　　　　　　　　　　4）　写真（しゃしん）　→

5．　例（れい）：　本屋（ほんや）　→　本屋（ほんや）は　どこに　ありますか。
　　　　　　　　　　　　……スーパーの　隣（となり）に　あります。

1）　ポスト　→　　　　　　　　　　2）　電話（でんわ）　→
3）　銀行（ぎんこう）　→　　　　　　4）　タクシー乗（の）り場（ば）　→

練習(れんしゅう)　C

1.　A：　すみません。　ミラーさんは　いますか。

　　B：　いいえ。　会議室(かいぎしつ)に　います。

　　A：　そうですか。　どうも。

　　　1）　食堂(しょくどう)に　います

　　　2）　銀行(ぎんこう)へ　行(い)きました

　　　3）　郵便局(ゆうびんきょく)へ　行(い)きました

2.　A：　すみません。　①ノートは　ありませんか。

　　B：　①ノートですか。　あの　②いちばん　上(うえ)の　棚(たな)です。

　　A：　どうも。

　　　1）　①　電池(でんち)

　　　　　②　いちばん　下(した)

　　　2）　①　フィルム

　　　　　②　上(うえ)から　3段目(だんめ)

　　　3）　①　セロテープ

　　　　　②　下(した)から　2段目(だんめ)

3.　A：　あのう、近(ちか)くに　①郵便局(ゆうびんきょく)が　ありますか。

　　B：　ええ。　あそこに　高(たか)い　ビルが　ありますね。

　　　　あの　②隣(となり)です。

　　A：　わかりました。　どうも。

　　　1）　①　スーパー

　　　　　②　うしろ

　　　2）　①　銀行(ぎんこう)

　　　　　②　中(なか)

　　　3）　①　ポスト

　　　　　②　前(まえ)

問題

1. 1) ____________________
2) ____________________
3) ____________________
4) ____________________
5) ____________________

2. 1) ①

②

③

2) ①

②

③

3) ①

②

③

3. 1)（　　） 2)（　　）

4. 例： 受付に　ミラーさんが　（　います　）。
1) ワイン売り場は　地下に　（　　　　）。
2) 犬は　どこに　（　　　　）か。
3) あそこに　小さい　男の　子が　（　　　　）。
4) 冷蔵庫の　中に　何も　（　　　　）。
5) 事務所に　だれも　（　　　　）。

5.　例(れい)：　いす（　の　）　下(した)（　に　）　猫(ねこ)（　が　）　います。

1）　消(け)しゴムは　かばんの　中(なか)（　　　）　あります。

2）　タクシー乗(の)り場(ば)（　　　）　近(ちか)く（　　　）　ポストが　あります。

3）　花屋(はなや)（　　　）　スーパー（　　　）　銀行(ぎんこう)（　　　）　間(あいだ)に　あります。

4）　公園(こうえん)（　　　）　だれ（　　　）　いません。

5）　事務所(じむしょ)に　ファクス（　　　）　パソコンなど（　　　）　あります。

6.　例(れい)：　（　だれと　）　神戸(こうべ)へ　行(い)きましたか。……木村(きむら)さんと　行(い)きました。

どこへ　　どこも　　何(なに)が　　何(なに)も　　何(なに)を　　~~だれと~~　　だれが　　だれも

1）　そこに　（　　　）　ありますか。……かぎが　あります。

2）　庭(にわ)に　（　　　）　いますか。……（　　　）　いません。

3）　店(みせ)で　（　　　）　買(か)いましたか。……（　　　）　買(か)いませんでした。

4）　ミラーさんは　あした　（　　　）　行(い)きますか。

……（　　　）　行(い)きません。

7.

わたしの　うち

わたしの　新(あたら)しい　うちは　静(しず)かな　所(ところ)に　あります。　うちの　隣(となり)に　きれいな　公園(こうえん)が　あります。　公園(こうえん)の　前(まえ)に　図書館(としょかん)と　喫茶店(きっさてん)が　あります。　わたしは　図書館(としょかん)で　本(ほん)を　借(か)ります。　そして、公園(こうえん)で　読(よ)みます。　時々(ときどき)　喫茶店(きっさてん)で　読(よ)みます。　喫茶店(きっさてん)の　コーヒーは　おいしいです。　うちの　近(ちか)くに　郵便局(ゆうびんきょく)と　銀行(ぎんこう)が　あります。　郵便局(ゆうびんきょく)と　銀行(ぎんこう)の　間(あいだ)に　スーパーが　あります。　スーパーの　中(なか)に　花屋(はなや)や　おいしい　パン屋(や)が　あります。　とても　便利(べんり)です。

わたしの　うちは　①　②　③の　どれですか。

①

②

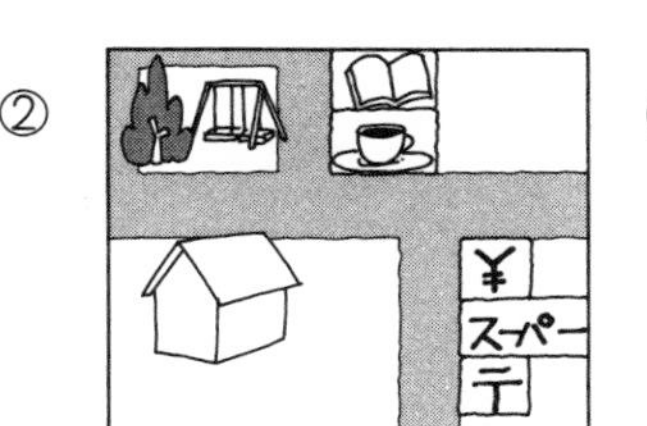

③

第11課

文型

1. 会議室に　テーブルが　7つ　あります。
2. わたしは　日本に　1年　います。

例文

1. りんごを　いくつ　買いましたか。
…4つ　買いました。

2. 80円の　切手を　5枚と　はがきを　2枚　ください。
…はい。　全部で　500円です。

3. 富士大学に　外国人の　先生が　いますか。
…はい、3人　います。　みんな　アメリカ人です。

4. 家族は　何人ですか。
…5人です。　両親と　姉と　兄が　います。

5. 1週間に　何回　テニスを　しますか。
…2回ぐらい　します。

6. 田中さんは　どのくらい　スペイン語を　勉強しましたか。
…3か月　勉強しました。
えっ、3か月だけですか。　上手ですね。

7. 大阪から　東京まで　新幹線で　どのくらい　かかりますか。
…2時間半　かかります。

会話

これ、お願いします

管理人：　いい　天気ですね。　お出かけですか。
ワン：　ええ、ちょっと　郵便局まで。
管理人：　そうですか。　行って　いらっしゃい。
ワン：　行って　まいります。

ワン：　これ、速達で　お願いします。
郵便局員：　はい、オーストラリアですね。　370円です。
ワン：　それから　この　荷物も　お願いします。
郵便局員：　船便ですか、航空便ですか。
ワン：　船便は　いくらですか。
郵便局員：　500円です。
ワン：　どのくらい　かかりますか。
郵便局員：　1か月ぐらいです。
ワン：　じゃ、船便で　お願いします。

練習(れんしゅう)　A

1.　みかんを　いつつ　買(か)いました。
- いつつ
- やっつ
- とお

　　いくつ　……………か。

2.　90円(えん)の　切手(きって)を　1まい　ください。
- 1まい
- 2まい
- 5まい

3.　この　会社(かいしゃ)に　外国人(がいこくじん)が　ひとり　います。
- ひとり
- ふたり
- 4にん

　　なんにん　………か。

4.　1しゅうかん　に　1かい　映画(えいが)を　見(み)ます。
- 1しゅうかん / 1かげつ / 1ねん
- 1かい / 2かい / 5かいぐらい

　　なんかい　…………………か。

5.　わたしは　国(くに)で　5しゅうかん　日本語(にほんご)を　勉強(べんきょう)しました。
- 5しゅうかん
- 6かげつ
- 1ねんぐらい

　　あなたは　……　どのくらい　……………………………　か。

6.　わたしの　国(くに)から　日本(にほん)まで　飛行機(ひこうき)で　4じかん　かかります。
- 4じかん
- 5じかんはん
- 12じかん

　　あなたの　…………………………………　どのくらい　……………か。

練習(れんしゅう)　B

1.　例(れい)：　りんご　→　りんがご　いくつ　ありますか。

……3つ(みっつ)　あります。

1）いす　→　　2）卵(たまご)　→

3）かばん　→　　4）かぎ　→

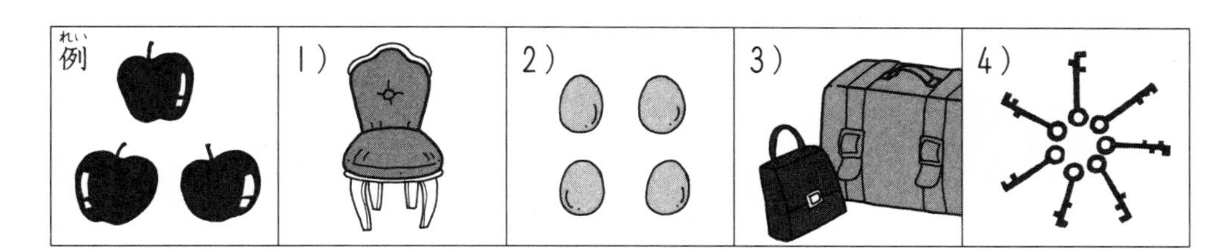

2.　例(れい)1：　テレビ　→　テレビが　何台(なんだい)　ありますか。

……2台(だい)　あります。

例(れい)2：　シャツ　→　シャツが　何枚(なんまい)　ありますか。

……1枚(まい)　あります。

1）CD　→　　2）コンピューター　→

3）封筒(ふうとう)　→　　4）自動車(じどうしゃ)　→

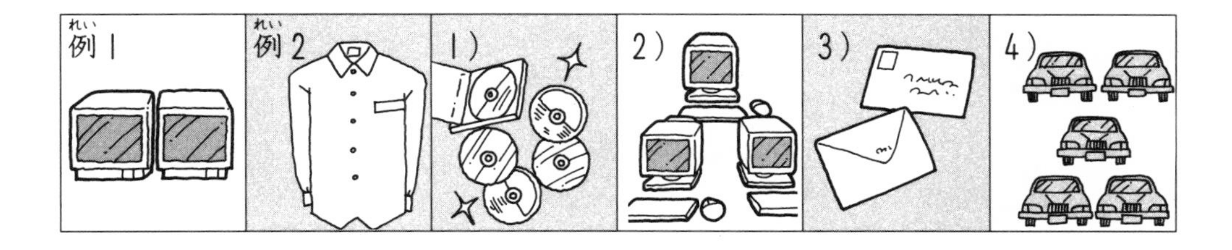

3.　例(れい)：　学生(がくせい)　→　学生(がくせい)が　何人(なんにん)　いますか。

……4人(にん)　います。

1）外国人(がいこくじん)の　社員(しゃいん)　→　　2）女(おんな)の　人(ひと)　→

3）男(おとこ)の　子(こ)　→　　4）子(こ)ども　→

4.　例(れい)：　買(か)います　→　はがきを　何枚(なんまい)　買(か)いましたか。

……10枚(まい)　買(か)いました。

1）　撮(と)ります　→　　　　2）　買(か)います　→

3）　食(た)べます　→　　　　4）　送(おく)ります　→

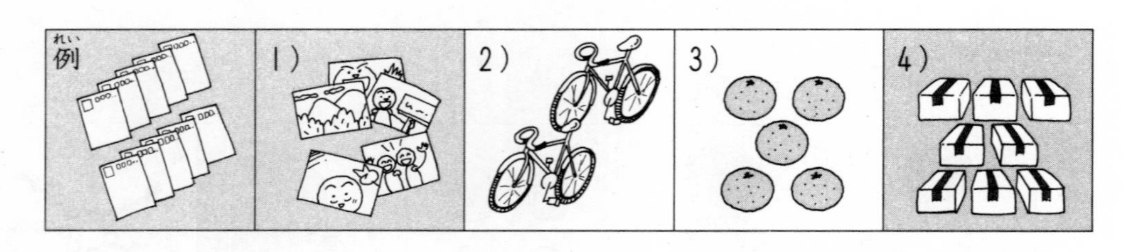

5.　例(れい)：　1か月(げつ)・映画(えいが)を　見(み)ます（1）　→　1か月(げつ)に　何回(なんかい)　映画(えいが)を　見(み)ますか。

……1回(かい)　見(み)ます。

1）　1日(にち)・彼女(かのじょ)に　電話(でんわ)を　かけます（2）　→

2）　1週間(しゅうかん)・日本語(にほんご)を　習(なら)います（3）　→

3）　1か月(げつ)・東京(とうきょう)へ　行(い)きます（1）　→

4）　1年(ねん)・国(くに)へ　帰(かえ)ります（1）　→

6.　例(れい)：　先月(せんげつ)　会社(かいしゃ)を　休(やす)みました（4日(よっか)）

→　先月(せんげつ)　何日(なんにち)　会社(かいしゃ)を　休(やす)みましたか。

……4日(よっか)　休(やす)みました。

1）　大学(だいがく)で　勉強(べんきょう)します（4年(ねん)）　→

2）　旅行(りょこう)を　しました（2週間(しゅうかん)）　→

3）　毎日(まいにち)　働(はたら)きます（8時間(じかん)）　→

4）　休(やす)みます（10分(ぷん)だけ）　→

7.　例(れい)：　日本語(にほんご)を　勉強(べんきょう)しました（3か月(げつ)）

→　どのくらい　日本語(にほんご)を　勉強(べんきょう)しましたか。

……3か月(げつ)　勉強(べんきょう)しました。

1）　旅行(りょこう)を　します（1週間(しゅうかん)ぐらい）　→

2）　フランス語(ご)を　習(なら)いました（5年(ねん)）　→

3）　スーパーで　働(はたら)きました（4か月(げつ)ぐらい）　→

4）　日本(にほん)に　います（2年(ねん)）　→

練習　C

1.　A：　いらっしゃいませ。

　　B：　①サンドイッチを　②2つ　ください。

　　A：　かしこまりました。

　　1）　①　ジュース
　　　　 ②　1つ

　　2）　①　アイスクリーム
　　　　 ②　4つ

　　3）　①　カレーライス
　　　　 ②　5つ

2.　A：　家族は　何人ですか。

　　B：　4人です。
　　　　 ①母と　②弟が　③2人　います。

　　1）　①　妻　　　②　子ども
　　　　 ③　2人

　　2）　①　父　　　②　兄弟
　　　　 ③　2人

　　3）　①　両親　　②　妹
　　　　 ③　1人

3.　A：　これは　アメリカまで　①速達で　いくらですか。

　　B：　②630円です。

　　A：　どのくらい　かかりますか。

　　B：　③4日ぐらいです。

　　1）　①　船便　　　　②　2,500円
　　　　 ③　2週間

　　2）　①　エアメール　②　1,870円
　　　　 ③　1週間

　　3）　①　書留　　　　②　940円
　　　　 ③　1週間

問題

1.　1）＿＿＿＿＿＿＿＿＿＿＿＿＿＿＿＿

　　2）＿＿＿＿＿＿＿＿＿＿＿＿＿＿＿＿

　　3）＿＿＿＿＿＿＿＿＿＿＿＿＿＿＿＿

　　4）＿＿＿＿＿＿＿＿＿＿＿＿＿＿＿＿

　　5）＿＿＿＿＿＿＿＿＿＿＿＿＿＿＿＿

2.　1）

①

②

③

　　2）

①

②

③

3.　1）（　　）　2）（　　）　3）（　　）

4.　例：　みかんが　（　8→　やっつ　）　あります。

　　1）　子どもが　（　2→　　　　）　います。

　　2）　車が　（　4→　　　　）　あります。

　　3）　切手を　（　10→　　　　）　買いました。

　　4）　りんごを　（　5→　　　　）　ください。

5.　例：　子どもが　（ 何人 ）　いますか。……3人　います。

　1）　いすが　（　　　）　ありますか。……3つ　あります。

　2）　毎日　（　　　）　働きますか。……8時間　働きます。

　3）　切符を　（　　　）　買いますか。……2枚　買います。

　4）　寮に　自転車が　（　　　）　ありますか。……5台　あります。

6.　例：　電車（ で ）　1時間（ × ）　かかります。

　1）　1週間（　　　）　3回（　　　）　彼女に　電話を　かけます。

　2）　この　荷物は　アメリカまで　船便（　　　）　いくらですか。

　3）　日本（　　　）　2年（　　　）　います。

　4）　りんご（　　　）　5つ（　　　）　ください。

　　　……はい。　600円です。

7.　1）　田中さんは　ご主人と　子どもが　2人　います。　田中さんの　家族は　全部で　何人ですか。

　　　……＿＿＿＿＿＿＿＿＿＿＿＿＿＿＿＿＿＿＿＿＿＿＿＿＿＿＿＿＿＿。

　2）　りんごを　15　もらいました。　4つ　食べました。　隣の　うちの　人に　6つ　あげました。　今　りんごが　いくつ　ありますか。

　　　……＿＿＿＿＿＿＿＿＿＿＿＿＿＿＿＿＿＿＿＿＿＿＿＿＿＿＿＿＿＿。

　3）　80円の　切手を　5枚と、50円の　切手を　5枚　買います。　全部で　いくらですか。

　　　……＿＿＿＿＿＿＿＿＿＿＿＿＿＿＿＿＿＿＿＿＿＿＿＿＿＿＿＿＿＿。

　4）　わたしは　中国語を　3か月　習いました。　1か月に　8回　勉強しました。　1回は　2時間です。　全部で　何時間　習いましたか。

　　　……＿＿＿＿＿＿＿＿＿＿＿＿＿＿＿＿＿＿＿＿＿＿＿＿＿＿＿＿＿＿。

第(だい) 12 課(か)

文(ぶん) 型(けい)

1. きのうは　雨(あめ)でした。
2. きのうは　寒(さむ)かったです。
3. 北海道(ほっかいどう)は　九州(きゅうしゅう)より　大(おお)きいです。
4. わたしは　1年(ねん)で　夏(なつ)が　いちばん　好(す)きです。

例(れい) 文(ぶん)

1. 京都(きょうと)は　静(しず)かでしたか。
   …いいえ、静(しず)かじゃ　ありませんでした。

2. 旅行(りょこう)は　楽(たの)しかったですか。
   …はい、とても　楽(たの)しかったです。

3. 天気(てんき)は　よかったですか。
   …いいえ、あまり　よくなかったです。

4. きのうの　パーティーは　どうでしたか。
   …とても　にぎやかでした。　いろいろな　人(ひと)に　会(あ)いました。

5. 東京(とうきょう)は　ニューヨークより　人(ひと)が　多(おお)いですか。
   …はい、ずっと　多(おお)いです。

6. 空港(くうこう)まで　バスと　電車(でんしゃ)と　どちらが　速(はや)いですか。
   …電車(でんしゃ)の　ほうが　速(はや)いです。

7. 海(うみ)と　山(やま)と　どちらが　好(す)きですか。
   …どちらも　好(す)きです。

8. 日本料理(にほんりょうり)[の　中(なか)]で　何(なに)が　いちばん　好(す)きですか。
   …てんぷらが　いちばん　好(す)きです。

会話

お祭りは　どうでしたか

ミラー：　ただいま。
管理人：　お帰りなさい。
ミラー：　これ、京都の　お土産です。
管理人：　どうも　すみません。
　　　　　祇園祭は　どうでしたか。
ミラー：　とても　おもしろかったです。
　　　　　外国人も　多かったですよ。
管理人：　祇園祭は　京都の　祭りで　いちばん　有名ですからね。
ミラー：　そうですか。
管理人：　写真を　撮りましたか。
ミラー：　ええ、100枚ぐらい　撮りました。
管理人：　すごいですね。
ミラー：　ええ。　でも、ちょっと　疲れました。

練習（れんしゅう） A

1. きのうは ゆきでした。
   ひまでした。
   さむかったです。

2. やすみ でした → やすみ じゃ ありませんでした
   きれい でした → きれい じゃ ありませんでした
   しずか でした → しずか じゃ ありませんでした

3. あつ かった です → あつ くなかった です
   おいし かった です → おいし くなかった です
   よ かった です → よ くなかった です

4. とうきょう は おおさか より 大（おお）きいです。
   この シャツ その シャツ
   サントスさん ミラーさん

5. サッカー と やきゅう と どちらが おもしろいですか。
   ほん えいが
   しごと べんきょう

   …… サッカー の ほうが おもしろいです。
   ほん
   しごと

6. スポーツ で なに が いちばん おもしろい ですか。
   かぞく だれ げんき
   せかい どこ きれい
   いちねん いつ さむい

練習　B

1.　例：　きのう・涼しい　→　きのうは　涼しかったです。
　1）　先月・忙しい　→
　2）　お祭り・楽しい　→
　3）　去年の　冬・暖かい　→
　4）　公園・人が　多い　→

2.　例：　きのう・いい　天気　→　きのうは　いい　天気でした。
　1）　おととい・雨　→
　2）　図書館・休み　→
　3）　先週・暇　→
　4）　奈良公園・静か　→

3.　例1：　パーティー・楽しい（いいえ）　→　パーティーは　楽しかったですか。
　　　……いいえ、楽しくなかったです。
　例2：　サントスさん・元気（はい）　→　サントスさんは　元気でしたか。
　　　……はい、元気でした。
　1）　歌舞伎・おもしろい（はい）　→
　2）　コンサート・いい（いいえ、あまり）　→
　3）　お祭り・にぎやか（はい、とても）　→
　4）　試験・簡単（いいえ）　→

4.　例：　京都（とても　きれい）　→　京都は　どうでしたか。
　　　……とても　きれいでした。
　1）　天気（曇り）　→
　2）　タイ料理（辛い）　→
　3）　北海道（あまり　寒くない）　→
　4）　ホテルの　部屋（とても　すてき）　→

5. 例： 北海道・大阪・涼しい → 北海道は 大阪より 涼しいです。

1） この かばん・その かばん・軽い →

2） ホンコン・シンガポール・近い →

3） 地下鉄・車・速い →

4） ミラーさん・サントスさん・テニスが 上手 →

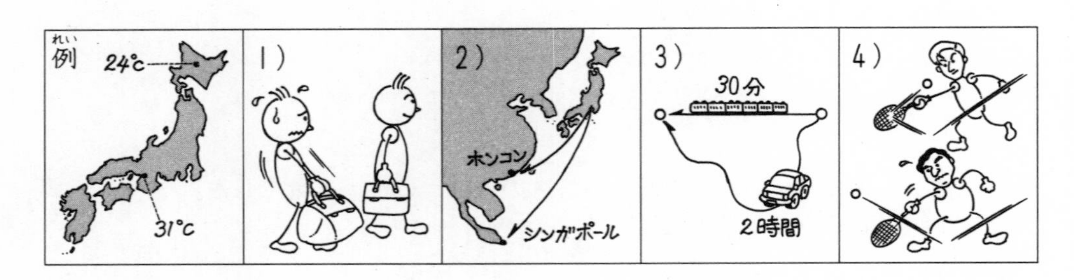

6. 例： 今週・来週・暇（来週） → 今週と 来週と どちらが 暇ですか。
……来週の ほうが 暇です。

1） コーヒー・紅茶・いい（コーヒー） →

2） 大きい みかん・小さい みかん・甘い（小さい みかん） →

3） お父さん・お母さん・料理が 上手（父） →

4） 春・秋・好き（どちらも） →

7. 例： 季節・好き → 季節で いつが いちばん 好きですか。
……秋が いちばん 好きです。

1） スポーツ・おもしろい →

2） 1年・暑い →

3） 家族・歌が 上手 →

4） ヨーロッパ・よかった →

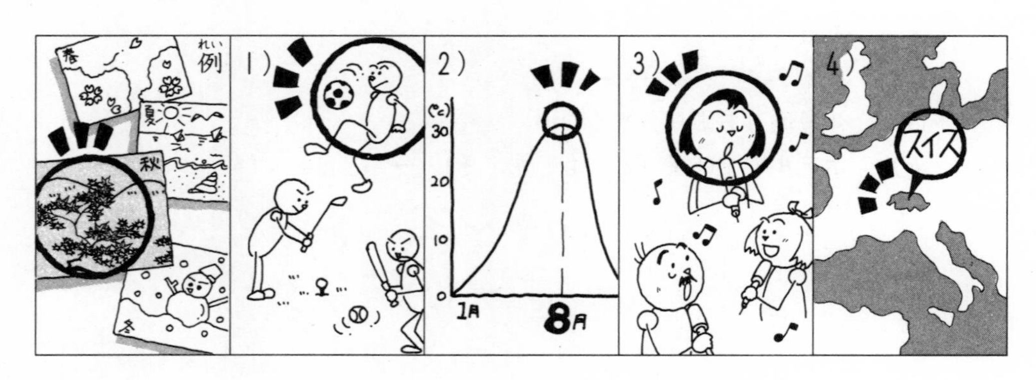

練習　C

1.　A：　きのう　初めて　①おすしを　食べました。
　　B：　どうでしたか。
　　A：　②とても　おいしかったです。

1）　①　歌舞伎を　見ます
　　　②　とても　きれいです
2）　①　生け花を　します
　　　②　難しいです
3）　①　日本の　お酒を　飲みます
　　　②　ちょっと　甘いです

2.　A：　①飲み物は　いかがですか。
　　B：　ありがとう　ございます。
　　A：　②コーヒーと　③紅茶と　どちらが　いいですか。
　　B：　②コーヒーを　お願いします。

1）　①　果物　　　②　りんご
　　　③　みかん
2）　①　飲み物　　②　ワイン
　　　③　ビール
3）　①　ジュース　②　りんごジュース
　　　③　野菜ジュース

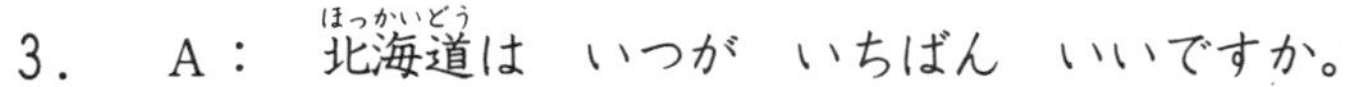

3.　A：　北海道は　いつが　いちばん　いいですか。
　　B：　そうですね。
　　　　①10月が　いちばん　いいですよ。
　　　　②紅葉の　季節ですから。

1）　①　6月
　　　②　きれいな　花が　たくさん　あります
2）　①　8月
　　　②　北海道の　夏は　涼しいです
3）　①　1月
　　　②　冬の　魚は　おいしいです

問題(もんだい)

1.　1）＿＿＿＿＿＿＿＿＿＿＿＿＿＿＿＿＿＿＿＿

　　2）＿＿＿＿＿＿＿＿＿＿＿＿＿＿＿＿＿＿＿＿

　　3）＿＿＿＿＿＿＿＿＿＿＿＿＿＿＿＿＿＿＿＿

　　4）＿＿＿＿＿＿＿＿＿＿＿＿＿＿＿＿＿＿＿＿

　　5）＿＿＿＿＿＿＿＿＿＿＿＿＿＿＿＿＿＿＿＿

2.　1）（　　）　2）（　　）　3）（　　）　4）（　　）　5）（　　）

3.　例(れい)：　この　卵(たまご)は　新(あたら)しいですか。……いいえ、（　古(ふる)い　）です。

　1）　あなたの　うちは　駅(えき)から　近(ちか)いですか。……いいえ、（　　　　）です。

　2）　日曜日(にちようび)は　車(くるま)が　多(おお)いですか。……いいえ、（　　　　）です。

　3）　その　カメラは　軽(かる)いですか。……いいえ、（　　　　）です。

　4）　野球(やきゅう)が　好(す)きですか。……いいえ、（　　　　）です。

4.　例(れい)：　海(うみ)は　きれいでしたか。

　　　……いいえ、あまり　（　きれいじゃ　ありませんでした　）。

　1）　天気(てんき)は　よかったですか。

　　　……いいえ、（　　　　　　　　　　）。

　2）　きのうは　雨(あめ)でしたか。

　　　……いいえ、（　　　　　　　　　　）。

　3）　映画(えいが)は　おもしろかったですか。

　　　……いいえ、あまり　（　　　　　　　　　　）。

　4）　試験(しけん)は　簡単(かんたん)でしたか。

　　　……いいえ、あまり　（　　　　　　　　　　）。

　5）　先週(せんしゅう)は　忙(いそが)しかったですか。

　　　……いいえ、（　　　　　　　　　　）。

5． 例： あの 人は （ だれ ）ですか。……ミラーさんです。

1） 夏と 冬と （ ）が 好きですか。
……冬の ほうが 好きです。

2） 家族で （ ）が いちばん 料理が 上手ですか。
……父が いちばん 上手です。

3） スポーツで （ ）が いちばん おもしろいですか。
……サッカーが いちばん おもしろいです。

4） 日本で （ ）が いちばん 人が 多いですか。
……東京が いちばん 多いです。

5） 1週間で （ ）が いちばん 忙しいですか。
……月曜日が いちばん 忙しいです。

6．

どこが いちばん いいですか

わたしの うちの 近くに スーパーが 3つ あります。「毎日屋」と「ABC ストア」と 「ジャパン」です。

「毎日屋」は いちばん 小さい 店ですが、近いです。 うちから 歩いて 5分です。 新しい 魚が 多いです。 野菜や 果物も 多いです。 外国の 物は 全然 ありません。

「ABC ストア」は うちから 歩いて 15分 かかります。 肉が 多いです。 いちばん 安い 店です。 外国の 物も ありますが、「ジャパン」より 少ないです。 おいしい パンが あります。

「ジャパン」は いちばん 遠いです。 魚は あまり 多くないですが、肉が たくさん あります。 外国の 物が 多いです。 とても 大きい 店です。 「ＡＢＣストア」より 大きいです。 3つの 店の 中で わたしは 「ABC ストア」が いちばん 好きです。

1）（ ）「毎日屋」の 魚は 新しいですが、少ないです。
2）（ ）「ABC ストア」は 「毎日屋」より 安いです。
3）（ ）3つの 店で 「ジャパン」が いちばん 大きいです。
4）（ ）「毎日屋」に ドイツの ワインが あります。
5）（ ）わたしの うちから 「ABC ストア」が いちばん 近いです。

第13課

文　型

1.　わたしは　パソコンが　欲しいです。
2.　わたしは　てんぷらを　食べたいです。
　　　　　　　　　　（が）
3.　わたしは　フランスへ　料理を　習いに　行きます。

例　文

1.　今　何が　いちばん　欲しいですか。
　　…うちが　欲しいです。

2.　夏休みに　どこへ　行きたいですか。
　　…沖縄へ　行きたいです。

3.　きょうは　疲れましたから、何も　したくないです。
　　…そうですね。　きょうの　会議は　大変でしたね。

4.　この　週末は　何を　しますか。
　　…子どもと　神戸へ　船を　見に　行きます。

5.　日本へ　何の　勉強に　来ましたか。
　　…経済の　勉強に　来ました。

6.　冬休みは　どこか　行きましたか。
　　…ええ、行きました。
　　どこへ　行きましたか。
　　…北海道へ　スキーに　行きました。

会話（かいわ）

別々（べつべつ）に　お願（ねが）いします

山田（やまだ）：もう　12時（じ）ですよ。　昼（ひる）ごはんを　食（た）べに　行（い）きませんか。
ミラー　：ええ。
山田（やまだ）：どこへ　行（い）きますか。
ミラー　：そうですね。　きょうは　日本料理（にほんりょうり）が　食（た）べたいですね。
山田（やまだ）：じゃ、「つるや」へ　行（い）きましょう。

店（みせ）の人（ひと）：ご注文（ちゅうもん）は？
ミラー　：わたしは　てんぷら定食（ていしょく）。
山田（やまだ）：わたしは　牛（ぎゅう）どん。
店（みせ）の人（ひと）：てんぷら定食（ていしょく）と　牛（ぎゅう）どんですね。　少々（しょうしょう）　お待（ま）ちください。

店（みせ）の人（ひと）：1,680円（えん）で　ございます。
ミラー　：すみません。　別々（べつべつ）に　お願（ねが）いします。
店（みせ）の人（ひと）：はい。　てんぷら定食（ていしょく）は　980円（えん）、牛（ぎゅう）どんは　700円（えん）です。

練習(れんしゅう) A

1. わたしは

くるま
うち
ともだち

が 欲(ほ)しいです。

2. わたしは

カメラを	かい
家族(かぞく)に	あい
外国(がいこく)で	はたらき

たいです。

あなたは

なにを し

…………か。

3.

I WANT TO...				I DON'T WANT TO...		
いき	たい	です	→	いき	たくない	です
たべ	たい	です	→	たべ	たくない	です
けっこんし	たい	です	→	けっこんし	たくない	です

4. わたしは 神戸(こうべ)へ

	あそび
ロシア料理(りょうり)を	たべ
	かいもの
	びじゅつの べんきょう

に 行(い)きます。

あなたは ………

なにを し

………………か。

練習　B

1．　例：　→　わたしは　カメラが　欲しいです。

　　1）　→　　　2）　→　　　3）　→　　　4）　→

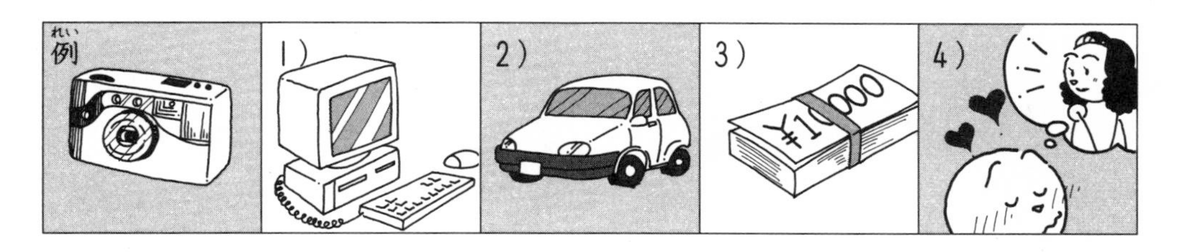

2．　例：　カメラ（小さい）　→　どんな　カメラが　欲しいですか。

……小さい　カメラが　欲しいです。

1）　車（ドイツ）　→
2）　靴（黒い）　→
3）　パソコン（IMC）　→
4）　うち（広い）　→

3．　例：　→　すき焼きを　食べたいです。

　　1）　→　　　2）　→　　　3）　→　　　4）　→

4．　例：　何を　買いますか。（ビデオ）　→　何を　買いたいですか。

……ビデオを　買いたいです。

1）　いつ　北海道へ　行きますか。（2月）　→
2）　何を　習いますか。（生け花）　→
3）　だれに　会いますか。（両親）　→
4）　何を　食べますか。（何も）　→
5）　どんな　本を　読みますか。（旅行の　本）　→
6）　日曜日　どこへ　行きますか。（どこも）　→

5.　例：　→　イタリアへ　歌を　習いに　行きます。

1）→　　2）→　　3）→　　4）→

6.　例1：　公園へ　行きます・散歩します　→　公園へ　散歩に　行きます。

例2：　京都へ　行きます・花見を　します

→　京都へ　花見に　行きます。

1）　ホンコンへ　行きます・買い物します　→

2）　ホテルへ　行きます・食事します　→

3）　川へ　行きます・釣りを　します　→

4）　市役所へ　行きます・外国人登録を　します　→

7.　例：　遊びます（友達の　うち）　→　どこへ　遊びに　行きますか。

……友達の　うちへ　遊びに　行きます。

1）　泳ぎます（ホテルの　プール）　→

2）　お土産を　買います（デパート）　→

3）　絵を　見ます（奈良の　美術館）　→

4）　食事します（インド料理の　レストラン）　→

8.　例：　いつ　外国人登録を　しますか（金曜日）

→　いつ　外国人登録に　行きますか。

……金曜日に　行きます。

1）　何を　買いますか（フィルム）　→

2）　だれに　会いますか（カリナさん）　→

3）　何時ごろ　子どもを　迎えますか（2時ごろ）　→

4）　だれと　テニスを　しますか（会社の　人）　→

練習(れんしゅう) C

1. A： すみません。「おはようテレビ」ですが、
今(いま) 何(なに)が いちばん 欲(ほ)しいですか。

B： ①お金(かね)が 欲(ほ)しいです。
②来年(らいねん) 結婚(けっこん)しますから。

A： そうですか。
どうも ありがとう ございました。

1） ① 休(やす)み　② 毎日(まいにち) 忙(いそが)しいです
2） ① 犬(いぬ)　② 寂(さび)しいです
3） ① 広(ひろ)い うち　② 今(いま)の うちは 狭(せま)いです

2. A： ①のどが かわきましたね。

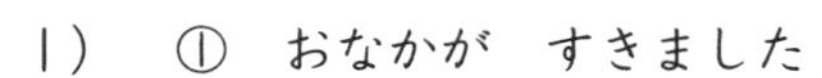

B： ええ、②何(なに)か 飲(の)みたいですね。
A： あの 喫茶店(きっさてん)に 入(はい)りませんか。
B： ええ、そう しましょう。

1） ① おなかが すきました
② 何(なに)か 食(た)べます
2） ① 疲(つか)れました
② ちょっと 休(やす)みます
3） ① 暑(あつ)いです
② 冷(つめ)たい 物(もの)を 飲(の)みます

3. A： 週末(しゅうまつ)は 何(なに)を しましたか。
B： ①大阪(おおさか)へ ②遊(あそ)びに 行(い)きました。
A： どうでしたか。
B： とても ③おもしろかったです。

1） ① 神戸(こうべ)　② インド料理(りょうり)を 食(た)べます
③ おいしいです
2） ① 京都(きょうと)　② 桜(さくら)を 見(み)ます
③ きれいです
3） ① 海(うみ)　② 泳(およ)ぎます
③ 楽(たの)しいです

問題(もんだい)

1. 1）＿＿＿＿＿＿＿＿＿＿＿＿＿＿＿＿＿＿＿＿
   2）＿＿＿＿＿＿＿＿＿＿＿＿＿＿＿＿＿＿＿＿
   3）＿＿＿＿＿＿＿＿＿＿＿＿＿＿＿＿＿＿＿＿
   4）＿＿＿＿＿＿＿＿＿＿＿＿＿＿＿＿＿＿＿＿
   5）＿＿＿＿＿＿＿＿＿＿＿＿＿＿＿＿＿＿＿＿

2. 1）（　　）　2）（　　）　3）（　　）　4）（　　）　5）（　　）

3. 例(れい)：　おなかが　すきましたから、何(なに)か　（　食(た)べたい　）です。

帰(かえ)ります　　行(い)きます　　飲(の)みます　　~~食(た)べます~~　　寝(ね)ます　　します

1）　用事(ようじ)が　ありますから、5時(じ)に　うちへ　（　　　　　）です。
2）　あしたは　休(やす)みですから、昼(ひる)まで　（　　　　　）です。
3）　のどが　かわきましたから、何(なに)か　（　　　　　）です。
4）　疲(つか)れましたから、何(なに)も　（　　　　　）です。
5）　暑(あつ)いですから、どこも　（　　　　　）です。

4. 例(れい)：　昼(ひる)ごはん（を）　食(た)べます。
1）　わたしは　大(おお)きい　うち（　　）　欲(ほ)しいです。
2）　おなか（　　）　いっぱいですから、何(なに)（　　）　食(た)べたくないです。
3）　京都(きょうと)の　大学(だいがく)（　　）　美術(びじゅつ)（　　）　勉強(べんきょう)します。
4）　日本(にほん)（　　）　経済(けいざい)の　勉強(べんきょう)（　　）　来(き)ました。
5）　あの　喫茶店(きっさてん)（　　）　入(はい)りませんか。

5．　例：　喫茶店へ　コーヒーを　（　飲み　）に　行きます。

買い物します	借ります	泳ぎます	~~飲みます~~
外国人登録を　します	買います		

1）　図書館へ　本を　（　　　　）に　行きます。
2）　郵便局へ　切手を　（　　　　）に　行きました。
3）　デパートへ　（　　　　）に　行きたいです。
4）　暑いですから、プールへ　（　　　　）に　行きましょう。
5）　日本に　1年　いますから、市役所へ　（　　　　）に　行きます。

6．

犬の　生活

　わたしは　トモです。　サントスさんの　うちに　います。　わたしは　毎朝　奥さんと　散歩に　行きます。　8時ごろ　テレサちゃんと　学校へ　行きます。　それから、うちへ　帰ります。　そして、奥さんと　買い物に　行きます。　午後　学校へ　テレサちゃんを　迎えに　行きます。　それから、いっしょに　公園へ　遊びに　行きます。

　週末は　テレサちゃんの　学校と　サントスさんの　会社は　休みです。　サントスさんの　家族は　遠い　所へ　車で　遊びに　行きます。　わたしも　いっしょに　行きます。　とても　疲れます。

　サントスさんの　うちに　猫も　います。　猫は　毎日　何も　しません。　どこも　行きません。　わたしは　朝から　晩まで　忙しいです。　休みが　全然　ありません。　わたしは　猫と　いっしょに　休みたいです。

1）（　　）わたしは　奥さんと　散歩や　買い物に　行きます。
2）（　　）テレサちゃんは　わたしと　いっしょに　学校から　帰ります。
3）（　　）サントスさんの　家族は　週末　公園へ　遊びに　行きます。
4）（　　）猫は　わたしより　暇です。
5）（　　）犬の　生活は　猫の　生活より　休みが　多いです。

復習 B

1. 例：あの 人は （ だれ ）ですか。……ミラーさんです。

   1） 日本人は （　　　）で ごはんを 食べますか。……はしで 食べます。
   2） 木村さんは （　　　）に 電話を かけましたか。
   ……マリアさんに かけました。
   3） 「ありがとう」は 中国語で （　　　）ですか。……“谢谢”です。
   4） 日本語の 勉強は （　　　）ですか。……おもしろいです。
   5） ワットさんは （　　　） 人ですか。……静かな 人です。
   6） あなたの かばんは （　　　）ですか。……あれです。
   7） ミラーさんは （　　　） 食べ物が 好きですか。……肉が 好きです。
   8） （　　　） 早く 帰りますか。……約束が ありますから。
   9） 事務所に （　　　）が いますか。……山田さんが います。
   10） スーパーの 前に （　　　）が ありますか。
   ……レストランが あります。
   11） カリナさんは （　　　）に いますか。……教室に います。
   12） 本屋は （　　　）に ありますか。……銀行の 隣に あります。
   13） りんごを （　　　） 買いましたか。……5つ 買いました。
   14） 山田さんは 子どもが （　　　） いますか。……1人 います。
   15） 会社に コンピューターが （　　　） ありますか。
   ……10台 あります。
   16） 京都から 広島まで 新幹線で （　　　） かかりますか。
   ……2時間ぐらい かかります。
   17） 日本に （　　　） いますか。……1年半 います。
   18） タイは （　　　）でしたか。……とても 暑かったです。
   19） きのうの パーティーは （　　　）でしたか。……にぎやかでした。
   20） スポーツで （　　　）が いちばん 好きですか。
   ……サッカーが いちばん 好きです。

2. 例：これは わたし（ の ） 傘です。

   1） ファクス（　　　） レポートを 送ります。
   2） マリアさんは ブラジルの お母さん（　　　） 電話を かけました。
   3） “stapler”は 日本語（　　　） 「ホッチキス」です。
   4） わたしは 友達（　　　） 本を 借りました。
   5） ミラーさんは 英語（　　　） レポートを 書きます。
   6） ペキンは にぎやかです。 シャンハイ（　　　） にぎやかです。

7）　わたしの　うちは　静かです（　　　）、駅から　遠いです。
8）　子どもは　チョコレート（　　　）　好きです。
9）　ミラーさんは　料理（　　　）　上手です。
10）　わたしは　ひらがなと　かたかな（　　　）　わかります。
11）　用事（　　　）　あります（　　　）、早く　帰ります。
12）　駅（　　　）　前（　　　）　銀行が　あります。
13）　花屋（　　　）　本屋（　　　）　間（　　　）　靴屋が　あります。
14）　庭（　　　）　だれ（　　　）　いません。
15）　箱（　　　）　中（　　　）　何（　　　）　ありません。
16）　松本さん（　　　）　どこですか。……会議室（　　　）　います。
17）　冷蔵庫（　　　）　卵（　　　）　10　あります。
18）　大阪（　　　）　東京（　　　）　飛行機（　　　）　1時間　かかります。
19）　わたしは　兄（　　　）　3人　います。
20）　1週間（　　　）　1回　テニスを　します。
21）　ビール（　　　）　ジュース（　　　）、どちら（　　　）　いいですか。
22）　中国は　日本（　　　）　ずっと　人が　多いです。
23）　果物（　　　）　みかん（　　　）　いちばん　好きです。
24）　わたしは　新しい　パソコン（　　　）　欲しいです。
25）　のど（　　　）　かわきました。
26）　デパート（　　　）　プレゼントを　買い（　　　）　行きました。
27）　美術館（　　　）　彼（　　　）　会いました。
28）　カリナさんは　日本（　　　）　美術（　　　）　勉強（　　　）
来ました。
29）　毎朝　公園（　　　）　散歩します。

3．　例：　あした　いっしょに　京都へ　（ a．行きました　ⓑ．行きません ）か。
……すみません。　あしたは　ちょっと……。
1）　もう　新聞を　（ a．読みます　b．読みました ）か。
……いいえ、（ a．まだです　b．まだでした ）。
2）　田中さんは　どこですか。……会議室に　（ a．います　b．あります ）。
3）　京都に　美術館が　（ a．いくら　b．いくつ ）　ありますか。
4）　日本語の　試験は　（ a．どうです　b．どうでした ）か。
……とても　難しかったです。
5）　天気は　どうでしたか。……（ a．よくなかったです　b．よくないです）。
6）　神戸へ　何を　しに　行きましたか。
……（ a．船で　行きました　b．船を　見に　行きました ）。

第14課

文型

1. ちょっと　待って　ください。
2. ミラーさんは　今　電話を　かけて　います。

例文

1. ここに　住所と　名前を　書いて　ください。
…はい、わかりました。

2. あの　シャツを　見せて　ください。
…はい、どうぞ。
もう　少し　大きいのは　ありませんか。
…はい。　この　シャツは　いかがですか。

3. すみませんが、この　漢字の　読み方を　教えて　ください。
…それは　「かきとめ」ですよ。

4. 暑いですね。　窓を　開けましょうか。
…すみません。　お願いします。

5. 駅まで　迎えに　行きましょうか。
…いいえ、けっこうです。　タクシーで　行きますから。

6. 佐藤さんは　どこですか。
…今　会議室で　松本さんと　話して　います。
じゃ、また　あとで　来ます。

会話(かいわ)

梅田(うめだ)まで　行(い)って　ください

カリナ：　梅田(うめだ)まで　お願(ねが)いします。
運転手(うんてんしゅ)：　はい。

カリナ：　すみません。　あの　信号(しんごう)を　右(みぎ)へ　曲(ま)がって　ください。
運転手(うんてんしゅ)：　右(みぎ)ですね。
カリナ：　ええ。

運転手(うんてんしゅ)：　まっすぐですか。
カリナ：　ええ、まっすぐ　行(い)って　ください。

カリナ：　あの　花屋(はなや)の　前(まえ)で　止(と)めて　ください。
運転手(うんてんしゅ)：　はい。
　　　　　1,800円(えん)です。
カリナ：　これで　お願(ねが)いします。
運転手(うんてんしゅ)：　3,200円(えん)の　お釣(つ)りです。　ありがとう　ございました。

練習（れんしゅう） A

1.

	ます形（けい）		て形（けい）		
Ⅰ	か	き	ます	か	い	て

	ます形（けい）			て形（けい）		
Ⅰ	か	き	ます	か	い	て
	い	き	ます	*い	っ	て
	いそ	ぎ	ます	いそ	い	で
	の	み	ます	の	ん	で
	よ	び	ます	よ	ん	で
	かえ	り	ます	かえ	っ	て
	か	い	ます	か	っ	て
	ま	ち	ます	ま	っ	て
	か	し	ます	か	し	て

	ます形（けい）		て形（けい）	
Ⅱ	たべ	ます	たべ	て
	ね	ます	ね	て
	おき	ます	おき	て
	かり	ます	かり	て
	み	ます	み	て
	い	ます	い	て

	ます形（けい）		て形（けい）	
Ⅲ	き	ます	き	て
	し	ます	し	て
	さんぽし	ます	さんぽし	て

2. 左（ひだり）へ まがって / いそいで ください。

3. すみませんが、 塩（しお）を とって / 電話番号（でんわばんごう）を おしえて ください。

4. てつだい / 迎（むか）えに いき / 砂糖（さとう）を とり ましょうか。

5. ミラーさんは 今（いま） レポートを よんで / ビデオを みて / 日本語（にほんご）を べんきょうして います。

なにを して ………か。

練習　B

1．　例：　→　パスポートを　見せて　ください。

☞　1）→　　2）→　　3）→　　4）→

2．　例：　ちょっと　手伝います

　　→　すみませんが、ちょっと　手伝って　ください。

1）　エアコンを　つけます　→

2）　ドアを　閉めます　→

3）　もう　少し　ゆっくり　話します　→

4）　写真を　もう　1枚　撮ります　→

3．　例：　窓を　開けます（少し）　→　窓を　開けましょうか。

　　……ええ、少し　開けて　ください。

1）　これを　コピーします（5枚）　→

2）　レポートを　送ります（すぐ）　→

3）　タクシーを　呼びます（2台）　→

4）　あしたも　来ます（10時）　→

4．　例1：　電気を　消します（ええ）　→　電気を　消しましょうか。

　　……ええ、お願いします。

例2：　手伝います（いいえ）　→　手伝いましょうか。

　　……いいえ、けっこうです。

1）　地図を　かきます（ええ）　→

2）　荷物を　持ちます（いいえ）　→

3）　エアコンを　つけます（いいえ）　→

4）　駅まで　迎えに　行きます（ええ）　→

5.　例：　→　今　手紙を　書いて　います。

1）　→　　2）　→　　3）　→　　4）　→

6.　例：　山田さん　→　山田さんは　何を　して　いますか。
……子どもと　遊んで　います。

1）　ミラーさん　→　　2）　ワンさん　→
3）　カリナさん　→　　4）　サントスさん　→

7.　例：　カリナさんは　何を　かいて　いますか。　→　花を　かいて　います。

1）　山田さんは　だれと　遊んで　いますか。　→
2）　サントスさんは　どこで　寝て　いますか。　→
3）　ワンさんは　何を　読んで　いますか。　→
4）　ミラーさんは　だれと　話して　いますか。　→

練習(れんしゅう) C

1.　A：　すみません。

　　B：　はい。

　　A：　ちょっと　①ボールペンを　貸(か)して　ください。

　　B：　②はい、どうぞ。

　　1）　①　塩(しお)を　取(と)ります

　　　　　②　はい、どうぞ

　　2）　①　手伝(てつだ)います

　　　　　②　いいですよ

　　3）　①　この　荷物(にもつ)を　持(も)ちます

　　　　　②　いいですよ

2.　A：　①荷物(にもつ)が　多(おお)いですね。

　　　　　②1つ(ひと)　持(も)ちましょうか。

　　B：　すみません。　お願(ねが)いします。

　　1）　①　暑(あつ)いです

　　　　　②　窓(まど)を　開(あ)けます

　　2）　①　ちょっと　寒(さむ)いです

　　　　　②　エアコンを　消(け)します

　　3）　①　雨(あめ)が　降(ふ)って　います

　　　　　②　タクシーを　呼(よ)びます

3.　A：　さあ、会議(かいぎ)を　始(はじ)めましょう。

　　　　　あれ？　ミラーさんは？

　　B：　今(いま)　電話(でんわ)を　かけて　います。

　　A：　そうですか。

　　　　　じゃ、ちょっと　待(ま)ちましょう。

　　1）　松本(まつもと)さんと　話(はな)します

　　2）　東京(とうきょう)に　レポートを　送(おく)ります

　　3）　コピーします

問題

1\. 1）__________

2）__________

3）__________

4）__________

5）__________

2\. 1）

①
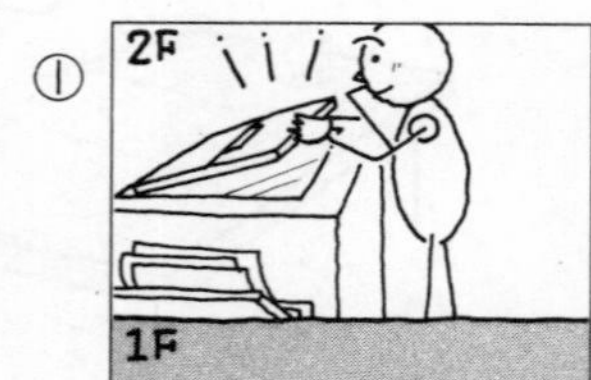

②
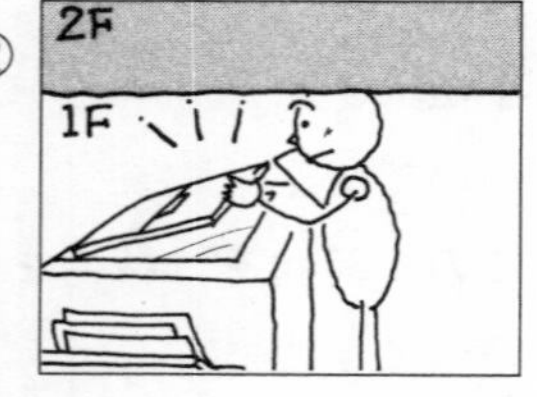

③

2）

①

②
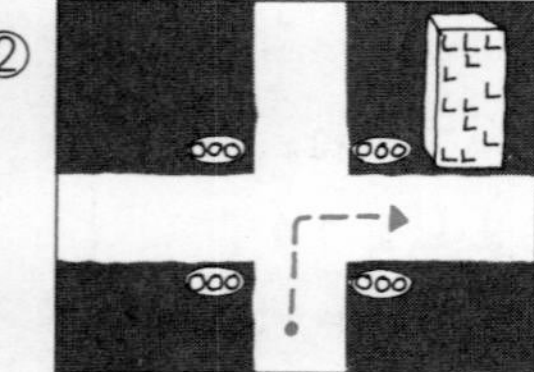

③

3\. 1）（　　）　2）（　　）　3）（　　）

4\.

例：	書きます	書いて	7）	買います	
1）	行きます		8）	貸します	
2）	急ぎます		9）	食べます	
3）	飲みます		10）	起きます	
4）	遊びます		11）	見ます	
5）	待ちます		12）	勉強します	
6）	帰ります		13）	来ます	

5\. 例：すみませんが、ボールペンを　（ 貸して ）　ください。

閉めます　~~貸します~~　待ちます　来ます　急ぎます

1）　時間(じかん)が　ありませんから、（　　　　　）　ください。
2）　今(いま)、忙(いそが)しいですから、また　あとで　（　　　　　）　ください。
3）　さあ、行(い)きましょう。
　　……すみません、ちょっと　（　　　　　）　ください。
4）　寒(さむ)いですから、ドアを　（　　　　　）　ください。

6．　例(れい)：　山田(やまだ)さんは　今(いま)　昼(ひる)ごはんを　（　食(た)べて　）　います。

降(ふ)ります　　泳(およ)ぎます　　~~食(た)べます~~　　遊(あそ)びます　　します

1）　テレサちゃんは　どこですか。
　　……2階(かい)です。　太郎君(たろうくん)と　（　　　　）　いますよ。
2）　雨(あめ)が　（　　　　）　いますね。　タクシーを　呼(よ)びましょうか。
3）　サントスさんは　今(いま)　何(なに)を　（　　　　）　いますか。
　　……プールで　（　　　　）　います。

7．

手紙(てがみ)

マリアさん　お元気(げんき)ですか。　毎日(まいにち)　暑(あつ)いですね。　わたしと　太郎(たろう)は　今(いま)　両親(りょうしん)の　うちに　います。　両親(りょうしん)の　うちは　海(うみ)の　近(ちか)くに　あります。　太郎(たろう)は　毎日(まいにち)　泳(およ)ぎに　行(い)きます。　時々(ときどき)　釣(つ)りも　します。　ここの　魚(さかな)は　おいしいです。　週末(しゅうまつ)に　夫(おっと)も　来(き)ます。

マリアさんも　ホセさん、テレサちゃんと　いっしょに　遊(あそ)びに　来(き)て　ください。　駅(えき)まで　車(くるま)で　迎(むか)えに　行(い)きます。

待(ま)って　います。

山田友子

1）（　　）友子(ともこ)さんは　ご主人(しゅじん)と　太郎君(たろうくん)と　3人(にん)で　両親(りょうしん)の　うちへ　来(き)ました。
2）（　　）太郎君(たろうくん)は　毎日(まいにち)　釣(つ)りを　します。
3）（　　）海(うみ)の　近(ちか)くですから、ここの　魚(さかな)は　おいしいです。
4）（　　）友子(ともこ)さんは　車(くるま)が　ありません。

第(だい) 15 課(か)

文型(ぶんけい)

1. 写真(しゃしん)を　撮(と)っても　いいです。
2. サントスさんは　パソコンを　持(も)って　います。

例文(れいぶん)

1. この　カタログを　もらっても　いいですか。
…ええ、いいですよ。　どうぞ。

2. この　辞書(じしょ)を　借(か)りても　いいですか。
…すみません、ちょっと……。　今(いま)　使(つか)って　います。

3. ここで　遊(あそ)んでは　いけません。
…はい。

4. 市役所(しやくしょ)の　電話番号(でんわばんごう)を　知(し)って　いますか。
…いいえ、知(し)りません。

5. マリアさんは　どこに　住(す)んで　いますか。
…大阪(おおさか)に　住(す)んで　います。

6. ワンさんは　独身(どくしん)ですか。
…いいえ、結婚(けっこん)して　います。

7. お仕事(しごと)は　何(なん)ですか。
…教師(きょうし)です。　富士大学(ふじだいがく)で　教(おし)えて　います。
専門(せんもん)は？
…日本(にほん)の　美術(びじゅつ)です。

会　話

ご家族は？

ミラー：　きょうの　映画は　よかったですね。
木　村：　ええ。　特に　あの　お父さんは　よかったですね。
ミラー：　ええ。　わたしは　家族を　思い出しました。
木　村：　そうですか。　ミラーさんの　ご家族は？
ミラー：　両親と　姉が　１人　います。
木　村：　どちらに　いらっしゃいますか。
ミラー：　両親は　ニューヨークの　近くに　住んで　います。
　　　　　姉は　ロンドンです。
　　　　　木村さんの　ご家族は？
木　村：　３人です。　父は　銀行員です。
　　　　　母は　高校で　英語を　教えて　います。

練習　A

1.

鉛筆で	かいて	も　いいですか。
この　電話を	つかって	
ここに	すわって	

2.

お酒を	のんで	は　いけません。
ここで　写真を	とって	
ここに　自転車を	とめて	

3.

わたしは	京都に	すんで	います。
	マリアさんを	しって	
		けっこんして	

4.

ミラーさんは	IMC で	はたらいて	います。
	会社で　英語を	おしえて	
	日本語学校で　日本語を	べんきょうして	

練習（れんしゅう） B

1\. 例：　パソコンを　使います　→　パソコンを　使っても　いいですか。

　1）　帰ります　→

　2）　テレビを　消します　→

　3）　たばこを　吸います　→

　4）　窓を　開けます　→

2\. 例：　ここで　→　ここで　たばこを　吸っては　いけません。

　1）　ここで　→　　　　2）　ここで　→

　3）　ここに　→　　　　4）　ここに　→

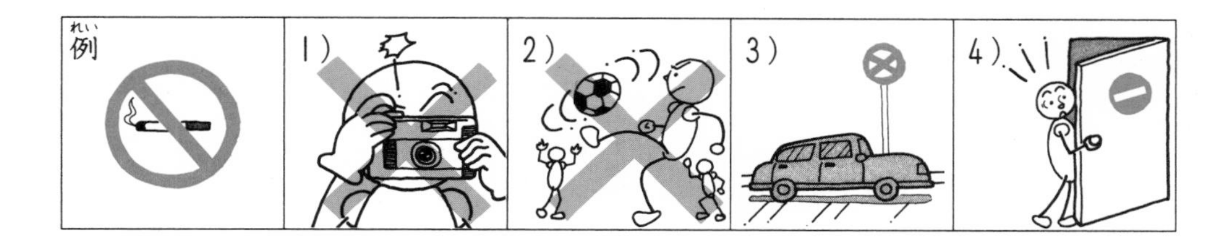

3\. 例1：　→　この　傘を　借りても　いいですか。

　　　　　……ええ、いいですよ。　どうぞ。

　例2：　→　たばこを　吸っても　いいですか。

　　　　　……すみません。　ちょっと……。

　1）　→　　　2）　→　　　3）　→　　　4）　→

4. 例1： ミラーさんを 知って いますか。（はい） → はい、知って います。

例2： ミラーさんは 車を 持って いますか。（いいえ）

→ いいえ、持って いません。

1） ミラーさんは 結婚して いますか。（いいえ） →

2） ミラーさんは 大阪に 住んで いますか。（はい） →

3） ミラーさんは 自転車を 持って いますか。（はい） →

4） ミラーさんの 住所を 知って いますか。（いいえ） →

5. 例： どこで 安い 電気製品を 売って いますか。（大阪の 日本橋）

→ 大阪の 日本橋で 売って います。

1） IMC は 何を 作って いますか。（コンピューターソフト） →

2） あの 店で 何を 売って いますか。（古い 服） →

3） さくら大学は どこの コンピューターを 使って いますか。

（パワー電気） →

4） どこで コンサートの チケットを 売って いますか。

（プレイガイド） →

6. 例： シュミットさん・どこ・働きますか（パワー電気）

→ シュミットさんは どこで 働いて いますか。

……パワー電気で 働いて います。

1） イーさん・何・研究しますか（経済） →

2） 山田友子さん・どこ・働きますか（アップル銀行） →

3） カリナさん・何・勉強しますか（美術） →

4） ワットさん・どこ・教えますか（さくら大学） →

練習　C

1.　A：　この　カタログ、もらっても　いいですか。
　　B：　ええ、どうぞ。
　　A：　どうも。

　　　1）　資料
　　　2）　地図
　　　3）　時刻表

2.　A：　山田さんの　電話番号を　知って　いますか。
　　B：　ええ。
　　A：　すみませんが、教えて　ください。

　　　1）　松本さんの　住所
　　　2）　安い　床屋
　　　3）　いい　歯医者

3.　A：　お名前は？
　　B：　①ミラーです。
　　A：　お仕事は？
　　B：　②会社員です。
　　　　③コンピューターの　会社で　働いて　います。

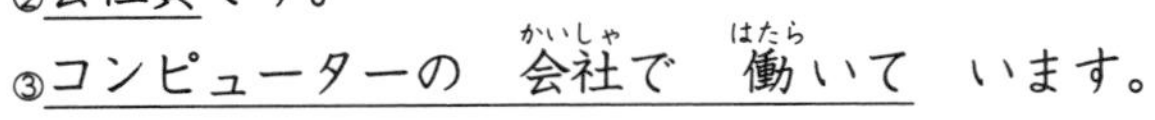

　　　1）　①　ワット
　　　　　　②　教師
　　　　　　③　大学で　英語を　教えます
　　　2）　①　カリナ
　　　　　　②　学生
　　　　　　③　富士大学で　勉強します
　　　3）　①　ワン
　　　　　　②　医者
　　　　　　③　神戸の　病院で　働きます

問題

1\.
1) ______________________
2) ______________________
3) ______________________
4) ______________________
5) ______________________

2\. 1)(　　) 2)(　　) 3)(　　) 4)(　　) 5)(　　)

3\.

例： 食べて	食べます	5) 借りて	
1) 休んで		6) 迎えて	
2) 食事して		7) 待って	
3) 来て		8) 話して	
4) 書いて		9) 止めて	

4\. 例： この 辞書、借りても いいですか。
……すみません、今 使って いますから。

店の 前です	わたしのじゃ ありません	~~今 使って います~~
映画を 見たいです	市役所へ 外国人登録に 行きます	

1) ここに 車を 止めても いいですか。
……すみません、______________から。

2) ______________から あしたの 午後 休んでも いいですか。
……ええ、いいですよ。

3) ______________から テレビを つけても いいですか。
……どうぞ。

4) この 傘、使っても いいですか。
……すみません、______________から。

5. 例1： 日本で 20歳から たばこを （ 吸います→ 吸っても いいです ）。

例2： エレベーターで （ 遊びます→ 遊んでは いけません ）。

1） 図書館で 食べ物を （ 食べます→ ）。

2） 先生、終わりました。

……じゃ、（ 帰ります→ ）。

3） 試験ですから、隣の 人と （ 話します→ ）。

4） 子どもは お酒を （ 飲みます→ ）。

6. 例： ミラーさんは IMC で （ 働いて ） います。

持ちます	作ります	~~働きます~~	結婚します	住みます

1） ミラーさんは 大阪に （ ） います。

2） IMC は コンピューターソフトを （ ） います。

3） ミラーさんは （ ） いません。 独身です。

4） ミラーさんは パソコンを （ ） います。

7.

わたしは だれですか

わたしは とても 寒い 所に 住んで います。 わたしは 赤い 服が 好きです。 赤い 服は 暖かいです。 わたしは 1年に 1日だけ 働きます。 それは 12月 24 日です。 24 日の 夜 すてきな プレゼントを いろいろな 国の 子どもに あげます。 わたしは 独身ですから、子どもが いません。 でも 世界の 子どもは みんな わたしを 知って います。 そして 12月 24 日の 夜 わたしの プレゼントを 待って います。 わたしは この 仕事が とても 好きです。

例： この 人の うちは どんな 所に ありますか。

……寒い 所に あります。

1） この 人は 結婚して いますか。……

2） この 人は いつ 仕事を しますか。……

3） この 人の 名前を 知って いますか。……

4） あなたも この 人に プレゼントを もらいましたか。……

第16課

文　型

1. 朝　ジョギングを　して、シャワーを　浴びて、会社へ　行きます。
2. コンサートが　終わってから、レストランで　食事を　しました。
3. 大阪は　食べ物が　おいしいです。
4. この　パソコンは　軽くて、便利です。

例　文

1. きのう　何を　しましたか。
   …図書館へ　行って、本を　借りて、それから　友達に　会いました。

2. 大学まで　どうやって　行きますか。
   …京都駅から　16番の　バスに　乗って、大学前で　降ります。

3. 国へ　帰ってから、何を　しますか。
   …父の　会社で　働きます。

4. サントスさんは　どの　人ですか。
   …あの　背が　高くて、髪が　黒い　人です。

5. 奈良は　どんな　町ですか。
   …静かで、きれいな　町です。

6. あの　人は　だれですか。
   …カリナさんです。　インドネシア人で、富士大学の　留学生です。

会話

使い方を　教えて　ください

マリア：　すみませんが、ちょっと　使い方を　教えて　ください。

銀行員：　お引き出しですか。

マリア：　そうです。

銀行員：　じゃ、まず　ここを　押して　ください。

マリア：　はい。

銀行員：　キャッシュカードは　ありますか。

マリア：　はい、これです。

銀行員：　それを　ここに　入れて、暗証番号を　押して　ください。

マリア：　はい。

銀行員：　次に　金額を　押して　ください。

マリア：　5万円ですが、5……。

銀行員：　この　「万」「円」を　押します。
　　　　　それから　この　確認ボタンを　押して　ください。

マリア：　はい。　どうも　ありがとう　ございました。

練習(れんしゅう) A

1.

あした	神戸(こうべ)へ	いって、	映画(えいが)を	みて、	買(か)い物(もの)します。
きのう	本(ほん)を	よんで、	手紙(てがみ)を	かいて、	寝(ね)ました。
日曜日(にちようび)	10時(じ)ごろ	おきて、		さんぽして、	食事(しょくじ)します。

2.

電話(でんわ)を	かけて	から、	友達(ともだち)の　うちへ　行(い)きます。
仕事(しごと)が	おわって		泳(およ)ぎます。
うちへ	かえって		晩(ばん)ごはんを　食(た)べました。

3.

カリナさんは	せ	が	たかい	です。
	め		おおきい	
	かみ		みじかい	

4.

ミラーさんは	頭(あたま)が	わかくて、	元気(げんき)です。
		よくて、	おもしろいです。
		ハンサムで、	親切(しんせつ)です。
		28さいで、	独身(どくしん)です。

16

練習　B

1.　例：　日曜日　名古屋へ　行きます・友達に　会います

　　　→　日曜日　名古屋へ　行って、友達に　会います。

1）　市役所へ　行きます・外国人登録を　します　→

2）　昼　1時間　休みます・午後　5時まで　働きます　→

3）　京都駅から　JRに　乗ります・大阪で　地下鉄に　乗り換えます　→

4）　サンドイッチを　買いました・大阪城公園で　食べました　→

2.　例：→　6時に　起きて、散歩して、それから　朝ごはんを　食べました。

1）→　　　2）→　　　3）→

3.　例：　電話を　かけます・友達の　うちへ　行きます

　　　→　電話を　かけてから、友達の　うちへ　行きます。

1）　銀行で　お金を　出します・買い物に　行きます　→

2）　仕事が　終わります・飲みに　行きませんか　→

3）　お金を　入れます・ボタンを　押して　ください　→

4）　日本へ　来ました・日本語の　勉強を　始めました　→

4．　例：　大学を　出ます（外国へ　行きます・働きます）
　　→　大学を　出てから、何を　しますか。
　　……外国へ　行って、働きます。
1）　お寺を　見ます（奈良公園へ　行きます・昼ごはんを　食べます）→
2）　会社を　やめます（アジアを　旅行します・本を　書きます）→
3）　国へ　帰ります（大学に　入ります・国の　経済を　勉強します）→
4）　研究が　終わります（アメリカへ　帰ります・大学で　働きます）→

5．　例1：　この　カメラ・大きい・重い　→　この　カメラは　大きくて、重いです。
例2：　ミラーさん・ハンサム・親切　→　ミラーさんは　ハンサムで、親切です。
1）　わたしの　部屋・狭い・暗い　→
2）　沖縄の　海・青い・きれい　→
3）　東京・にぎやか・おもしろい　→
4）　ミラーさん・28歳・独身　→

6．　例：　マリアさんは　どの　人ですか。（あの・髪が　長い・きれい）
　　→　あの　髪が　長くて、きれいな　人です。
1）　サントスさんは　どの　人ですか。（あの・髪が　黒い・目が　大きい）
　　→
2）　ミラーさんは　どんな　人ですか。（背が　高い・すてき）→
3）　奈良は　どんな　町ですか。（静か・緑が　多い）→
4）　北海道は　どんな　所ですか。（きれい・食べ物が　おいしい）→

7．　例：　きのうの　パーティーは　どうでしたか。（にぎやか・楽しい）
　　→　にぎやかで、楽しかったです。
1）　大阪は　どうですか。（車が　多い・緑が　少ない）→
2）　寮は　どうですか。（部屋が　きれい・明るい）→
3）　旅行は　どうでしたか。（天気が　いい・楽しい）→
4）　ホテルは　どうでしたか。（静か・サービスが　いい）→

練習(れんしゅう) C

1. A： きのうは　どこか　行(い)きましたか。

   B： ええ、京都(きょうと)へ　行(い)きました。

   A： そうですか。　京都(きょうと)へ　行(い)って、何(なに)を　しましたか。

   B： 友達(ともだち)に　会(あ)って、①食事(しょくじ)して、それから　いっしょに ②お寺(てら)を　見(み)ました。

   1） ①　美術館(びじゅつかん)へ　行(い)きます
       ②　喫茶店(きっさてん)で　話(はな)します

   2） ①　お茶(ちゃ)を　飲(の)みます
       ②　公園(こうえん)を　散歩(さんぽ)します

   3） ①　古(ふる)い　神社(じんじゃ)を　見(み)ます
       ②　買(か)い物(もの)に　行(い)きます

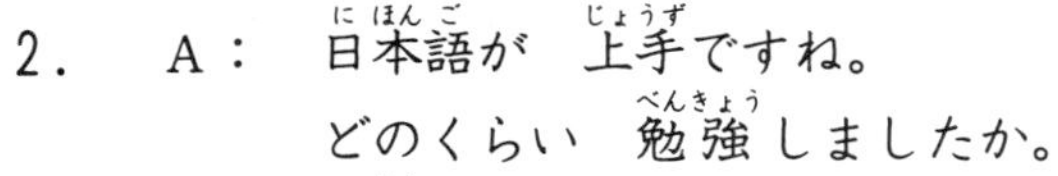

2. A： 日本語(にほんご)が　上手(じょうず)ですね。
   どのくらい　勉強(べんきょう)しましたか。

   B： 1年(ねん)ぐらいです。
   日本(にほん)へ　来(き)てから、始(はじ)めました。

   A： そうですか。　すごいですね。

   B： いいえ、まだまだです。

   1）　大学(だいがく)を　出(で)ます
   2）　この　会社(かいしゃ)に　入(はい)ります
   3）　結婚(けっこん)します

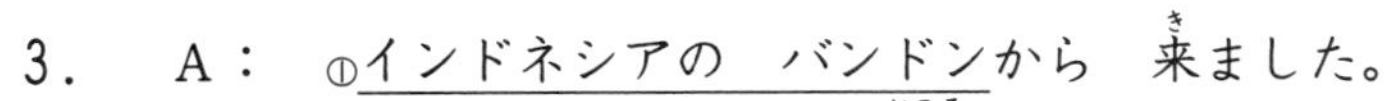

3. A： ①インドネシアの　バンドンから　来(き)ました。

   B： ①バンドン？　どんな　所(ところ)ですか。

   A： そうですね。　②緑(みどり)が　多(おお)くて、きれいな　所(ところ)です。

   1） ①　メキシコの　ベラクルス
       ②　海(うみ)が　近(ちか)いです

   2） ①　ドイツの　フランケン
       ②　ワインが　有名(ゆうめい)です

   3） ①　ベトナムの　フエ
       ②　お寺(てら)が　たくさん　あります

問題

1\. 1) ______________________
   2) ______________________
   3) ______________________
   4) ______________________
   5) ______________________

2\. 1) ①

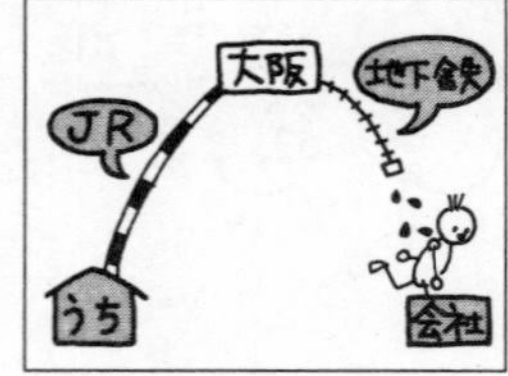

②

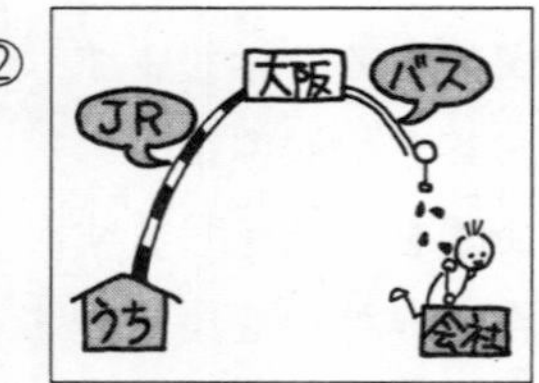

③

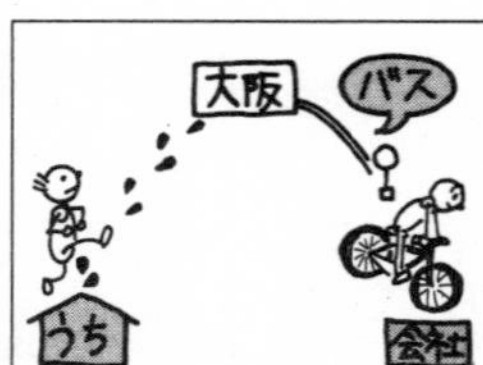

2) ①

②

③

3\. 1)（　　）　2)（　　）　3)（　　）

4\. 例：　ミラーさんは　背（ が ）　高いです。
   1)　国へ　帰ってから、大学（　　）　入って、経済の　研究を　します。
   2)　大阪駅から　JR（　　）　乗って、京都駅で　降ります。
   3)　京都で　古い　お寺（　　）　見ました。
   4)　日本は　山（　　）　多いです。
   5)　北海道は　きれいで、食べ物（　　）　おいしいです。
   6)　会社（　　）　やめてから、何を　しますか。
   7)　ジョギングを　して、シャワー（　　）　浴びて、学校へ　行きます。
   8)　大学（　　）　出てから、父の　会社（　　）　働きます。

5．　例(れい)：　窓(まど)を　（　閉(し)めて　）、電気(でんき)を　消(け)して、寝(ね)ました。

~~閉(し)めます~~　出(だ)します　乗(の)ります　浴(あ)びます　行(い)きます　乗(の)り換(か)えます

1）　デパートへ　（　　　　）、買(か)い物(もの)して、それから　映画(えいが)を　見(み)ます。
2）　銀行(ぎんこう)で　お金(かね)を　（　　　　）から、買(か)い物(もの)に　行(い)きます。
3）　日本橋(にっぽんばし)から　地下鉄(ちかてつ)に　（　　　　）、大阪駅(おおさかえき)で　JRに　（　　　　）、
　　甲子園(こうしえん)で　降(お)ります。
4）　シャワーを　（　　　　）から、プールに　入(はい)って　ください。

6．　例(れい)：　奈良(なら)は　緑(みどり)が　（　多(おお)くて　）、きれいな　町(まち)です。

いいです　~~多(おお)いです~~　軽(かる)いです　にぎやかです　学生(がくせい)です

1）　カリナさんは　富士大学(ふじだいがく)の　（　　　　）、美術(びじゅつ)を　勉強(べんきょう)して　います。
2）　佐藤(さとう)さんは　頭(あたま)が　（　　　　）、すてきな　人(ひと)です。
3）　新(あたら)しい　パソコンは　（　　　　）、便利(べんり)です。
4）　東京(とうきょう)は　（　　　　）、おもしろい　町(まち)です。

7．

大阪(おおさか)、神戸(こうべ)、京都(きょうと)、奈良(なら)

　大阪(おおさか)は　大(おお)きい　町(まち)です。　ビルや　車(くるま)や　人(ひと)が　多(おお)くて、にぎやかです。神戸(こうべ)と　京都(きょうと)と　奈良(なら)は　大阪(おおさか)から　近(ちか)いです。　京都(きょうと)と　奈良(なら)は　古(ふる)い　お寺(てら)や　神社(じんじゃ)が　たくさん　ありますから、外国人(がいこくじん)も　たくさん　遊(あそ)びに　来(き)ます。
　神戸(こうべ)は　古(ふる)い　物(もの)が　あまり　ありませんが、町(まち)の　うしろに　山(やま)が、前(まえ)に　海(うみ)が　あって、すてきな　町(まち)です。　若(わか)い　人(ひと)は　神戸(こうべ)が　好(す)きです。
　大阪(おおさか)に　空港(くうこう)が　2つ(ふた)　あります。　新(あたら)しい　空港(くうこう)は　海(うみ)の　上(うえ)に　あって、広(ひろ)くて、きれいです。

1）（　　）大阪(おおさか)は　古(ふる)い　お寺(てら)が　たくさん　あって、静(しず)かな　町(まち)です。
2）（　　）京都(きょうと)と　奈良(なら)で　外国人(がいこくじん)を　たくさん　見(み)ます。
3）（　　）神戸(こうべ)の　近(ちか)くに　海(うみ)と　山(やま)が　あります。
4）（　　）大阪(おおさか)の　新(あたら)しい　空港(くうこう)は　きれいですが、狭(せま)いです。

第17課

文型

1. ここで　写真を　撮らないで　ください。
2. パスポートを　見せなければ　なりません。
　(見せないと　いけません)
3. レポートは　出さなくても　いいです。

例文

1. そこに　車を　止めないで　ください。
…すみません。

2. 先生、お酒を　飲んでも　いいですか。
…いいえ、2、3日　飲まないで　ください。
はい、わかりました。

3. 今晩　飲みに　行きませんか。
…すみません。　きょうは　妻と　約束が　あります。
　ですから、早く　帰らなければ　なりません。

4. レポートは　いつまでに　出さなければ　なりませんか。
…金曜日までに　出して　ください。

5. 子どもも　お金を　払わなければ　なりませんか。
…いいえ、払わなくても　いいです。

会　話

どう　しましたか

医　者：　どう　しましたか。
松　本：　きのうから　のどが　痛くて、熱も　少し　あります。
医　者：　そうですか。　ちょっと　口を　開けて　ください。

医　者：　かぜですね。　ゆっくり　休んで　ください。
松　本：　あのう、あしたから　東京へ　出張しなければ　なりません。
医　者：　じゃ、薬を　飲んで、きょうは　早く　寝て　ください。
松　本：　はい。
医　者：　それから　今晩は　おふろに　入らないで　ください。
松　本：　はい、わかりました。
医　者：　じゃ、お大事に。
松　本：　どうも　ありがとう　ございました。

練習(れんしゅう) A

1.

	ます形(けい)			ない形(けい)		
I	す	い	ます	す	わ	ない
	い	き	ます	い	か	ない
	いそ	ぎ	ます	いそ	が	ない
	はな	し	ます	はな	さ	ない
	ま	ち	ます	ま	た	ない
	よ	び	ます	よ	ば	ない
	の	み	ます	の	ま	ない
	かえ	り	ます	かえ	ら	ない

	ます形(けい)		ない形(けい)	
II	たべ	ます	たべ	ない
	いれ	ます	いれ	ない
	い	ます	い	ない
	おき	ます	おき	ない
	あび	ます	あび	ない
	み	ます	み	ない
	かり	ます	かり	ない
	おり	ます	おり	ない

	ます形(けい)			ない形(けい)		
III		き	ます		こ	ない
		し	ます		し	ない
	しんぱい	し	ます	しんぱい	し	ない

2. たばこを / パスポートを / 傘(かさ)を　　すわ / なくさ / わすれ　　ないで　ください。

3. 本(ほん)を / 薬(くすり)を　　かえさ / のま / ざんぎょうし　　なければ　なりません。

4. 名前(なまえ)を / 靴(くつ)を / あした　　かか / ぬが / こ　　なくても　いいです。

5. レポート / 資料(しりょう) / コピー　　は　　あした　書(か)きます。 / ファクスで　送(おく)って　ください。 / 松本(まつもと)さんに　見(み)せなければ　なりません。

練習　B

1.　例：　ここに　→　ここに　自転車を　置かないで　ください。

　　1）　ここに　→　　　　　　2）　ここに　→

　　3）　ここで　→　　　　　　4）　ここで　→

2.　例：　禁煙です・たばこを　吸いません

　　　→　禁煙ですから、たばこを　吸わないで　ください。

　　1）　危ないです・押しません　→

　　2）　大丈夫です・心配しません　→

　　3）　大切な　資料です・なくしません　→

　　4）　図書館の　本です・何も　書きません　→

3.　例：　早く　うちへ　帰ります　→　早く　うちへ　帰らなければ　なりません。

　　1）　毎日　漢字を　6つ　覚えます　→

　　2）　パスポートを　見せます　→

　　3）　市役所へ　外国人登録に　行きます　→

　　4）　土曜日までに　本を　返します　→

4.　例：　何時までに　寮へ　帰りますか（12時）

　　　→　何時までに　寮へ　帰らなければ　なりませんか。

　　　　……12時までに　帰らなければ　なりません。

　　1）　何曜日までに　その　本を　返しますか（水曜日）→

　　2）　何枚　レポートを　書きますか（15）→

　　3）　毎日　いくつ　問題を　しますか（10）→

　　4）　1日に　何回　薬を　飲みますか（3）→

5.　例：　タクシーを　呼びません　→　タクシーを　呼ばなくても　いいです。

1）　きょうは　食事を　作りません　→

2）　あしたは　病院へ　来ません　→

3）　傘を　持って　行きません　→

4）　ここで　靴を　脱ぎません　→

6.　例1：　用事が　あります・出かけます

→　用事が　ありますから、出かけなければ　なりません。

例2：　悪い　病気じゃ　ありません・心配しません

→　悪い　病気じゃ　ありませんから、心配しなくても　いいです。

1）　熱が　あります・病院へ　行きます　→

2）　会社の　人は　英語が　わかりません・日本語で　話します　→

3）　あしたは　休みです・早く　起きません　→

4）　あまり　暑くないです・エアコンを　つけません　→

7.　例1：　来週　出張します（はい）

→　来週　出張しなければ　なりませんか。

……はい、出張しなければ　なりません。

例2：　レポートを　出します（いいえ）

→　レポートを　出さなければ　なりませんか。

……いいえ、出さなくても　いいです。

1）　パスポートを　持って　行きます（はい）　→

2）　今　お金を　払います（いいえ）　→

3）　今晩　残業します（はい）　→

4）　あしたも　来ます（いいえ）　→

8.　例：　ここに　荷物を　置かないで　ください

→　荷物は　ここに　置かないで　ください。

1）　ボールペンを　使わないで　ください　→

2）　ここに　答えを　書いて　ください　→

3）　外で　たばこを　吸って　ください　→

4）　嫌いな　物を　食べなくても　いいです　→

練習（れんしゅう） C

1\.　A：　先生（せんせい）、おふろに　入（はい）っても　いいですか。
　　B：　いいえ、2、3日（にち）　入（はい）らないで　ください。
　　A：　はい、わかりました。

1）　シャワーを　浴（あ）びます
2）　お酒（さけ）を　飲（の）みます
3）　スポーツを　します

2\.　A：　①昼（ひる）ごはんを　食（た）べに　行（い）きませんか。
　　B：　すみません。
　　　　これから　②病院（びょういん）へ　行（い）かなければ　なりません。

1）　①　ビールを　飲（の）みます
　　②　出（で）かけます
2）　①　野球（やきゅう）を　します
　　②　レポートを　書（か）きます
3）　①　サッカーを　見（み）ます
　　②　空港（くうこう）へ　友達（ともだち）を　迎（むか）えに　行（い）きます

3\.　A：　①来週（らいしゅう）の　月曜日（げつようび）に　来（き）て　ください。
　　　　②今週（こんしゅう）は　①来（こ）なくても　いいです。
　　B：　はい、わかりました。

1）　①　上着（うわぎ）を　脱（ぬ）ぎます
　　②　下着（したぎ）
2）　①　薬（くすり）は　朝（あさ）だけ　飲（の）みます
　　②　夜（よる）
3）　①　この　カードを　持（も）って　来（き）ます
　　②　保険証（ほけんしょう）

17

問題

1\. 1) ____________________

2) ____________________

3) ____________________

4) ____________________

5) ____________________

2\. 1) (　　) 2) (　　) 3) (　　) 4) (　　) 5) (　　)

3\.

例：　読みます	読まない	8)　忘れます	
1)　行きます		9)　覚えます	
2)　脱ぎます		10)　(6時に) 起きます	
3)　返します		11)　借ります	
4)　持ちます		12)　見ます	
5)　呼びます		13)　します	
6)　入ります		14)　心配します	
7)　払います		15)　(日本へ) 来ます	

4\. 例：　ここは 禁煙ですから、たばこを　(　吸わないで　)　ください。

開けます　行きます　心配します　~~吸います~~　なくします　入ります

1)　危ないですから、そちらへ　(　　　　　　)　ください。

2)　この 資料は 大切ですから、(　　　　　　)　ください。

3)　寒いですから、窓を　(　　　　　　)　ください。

4)　熱が ありますから、おふろに　(　　　　　　)　ください。

5)　寮の 生活は 楽しいですから、(　　　　　　)　ください。

5．　例１：　会社を　休みますから、電話を　（　かけます→　かけなければ　なりません）。

例２：　土曜日は　休みですから、会社へ　（　行きます→　行かなくても　いいです）。

１）　肉や　魚は　冷蔵庫に　（　入れます→　　　　　　　　　　）。

２）　あしたは　病院へ　（　来ます→　　　　　　　　　　）。
あさって　来て　ください。

３）　日本の　うちで　靴を　（　脱ぎます→　　　　　　　　　　）。

４）　本を　（　返します→　　　　　　　　　　）から、これから
図書館へ　行きます。

５）　レポートは　きょう　（　出します→　　　　　　　　　　）。
来週の　月曜日までに　出して　ください。

6．

日本語の　試験

12月 9 日（月曜日）　午前9:00～12:00

① 8時40分までに　教室に　入って　ください。
② 机の　番号を　見て、あなたの　番号の　所に　座って　ください。
③ 鉛筆と　消しゴムだけ　机の　上に　置いて　ください。
④ 「問題」は　全部で　9枚　あります。　いちばん　上の　紙に　あなたの　番号と　名前を　書いて　ください。
⑤ 答えは　鉛筆で　書いて　ください。　ボールペンは　使わないで　ください。

１）（　　）8時40分までに　教室へ　来なければ　なりません。
２）（　　）机の　番号を　確認して、座ります。
３）（　　）机の　上に　かばんを　置いても　いいです。
４）（　　）「問題」の　紙に　あなたの　番号は　書かなくても　いいです。
５）（　　）答えは　鉛筆で　書かなければ　なりません。

第18課

文型

1. ミラーさんは 漢字を 読む ことが できます。
2. わたしの 趣味は 映画を 見る ことです。
3. 寝る まえに、日記を 書きます。

例文

1. スキーが できますか。
   …はい、できます。 でも、あまり 上手じゃ ありません。

2. マリアさんは パソコンを 使う ことが できますか。
   …いいえ、できません。

3. 大阪城は 何時まで 見学が できますか。
   …5時まででです。

4. カードで 払う ことが できますか。
   …すみませんが、現金で お願いします。

5. 趣味は 何ですか。
   …古い 時計を 集める ことです。

6. 日本の 子どもは 学校に 入る まえに、ひらがなを
   覚えなければ なりませんか。
   …いいえ、覚えなくても いいです。

7. 食事の まえに、この 薬を 飲んで ください。
   …はい、わかりました。

8. いつ 結婚しましたか。
   …3年まえに、結婚しました。

会　話

趣味は　何ですか

山　　田：　サントスさんの　趣味は　何ですか。
サントス：　写真です。
山　　田：　どんな　写真を　撮りますか。
サントス：　動物の　写真です。　特に　馬が　好きです。
山　　田：　へえ、それは　おもしろいですね。
　　　　　　日本へ　来てから、馬の　写真を　撮りましたか。
サントス：　いいえ。
　　　　　　日本では　なかなか　馬を　見る　ことが　できません。
山　　田：　北海道に　馬の　牧場が　たくさん　ありますよ。
サントス：　ほんとうですか。
　　　　　　じゃ、夏休みに　ぜひ　行きたいです。

練習(れんしゅう) A

1.

	ます形(けい)			辞書形(じしょけい)	
I	か	い	ます	か	う
	か	き	ます	か	く
	およ	ぎ	ます	およ	ぐ
	はな	し	ます	はな	す
	た	ち	ます	た	つ
	よ	び	ます	よ	ぶ
	よ	み	ます	よ	む
	はい	り	ます	はい	る

	ます形(けい)		辞書形(じしょけい)	
II	ね	ます	ね	る
	たべ	ます	たべ	る
	おき	ます	おき	る
	み	ます	み	る
	かり	ます	かり	る

	ます形(けい)			辞書形(じしょけい)	
III		き	ます		くる
		し	ます		する
	うんてん	し	ます	うんてん	する

2. ミラーさんは
　にほんご
　くるまの　うんてん
　漢字(かんじ)を　よむ　こと
　ピアノを　ひく　こと
が　できます。

3. ここで
　コピー
　ホテルの　よやく
　切符(きっぷ)を　かう　こと
　お金(かね)を　かえる　こと
が　できます。

4. わたしの　趣味(しゅみ)は
　スポーツ
　りょこう
　写真(しゃしん)を　とる　こと
　本(ほん)を　よむ　こと
です。

5.
　ねる
　日本(にほん)へ　くる
　しょくじの
　クリスマスの
　5ねん
まえに、
　本(ほん)を　読(よ)みます。
　日本語(にほんご)を　勉強(べんきょう)しました。
　手(て)を　洗(あら)います。
　プレゼントを　買(か)います。
　日本(にほん)へ　来(き)ました。

練習（れんしゅう） B

1. 例（れい）： テニス → ミラーさんは テニスが できます。
   1） 運転（うんてん） →　　2） 料理（りょうり） →
   3） サッカー →　　4） ダンス →

2. 例（れい）1： → ひらがなを 書（か）く ことが できますか。
   ……はい、できます。
   例（れい）2： → 漢字（かんじ）を 読（よ）む ことが できますか。
   ……いいえ、できません。
   1） →　　2） →　　3） →　　4） →

3. 例（れい）1： 新幹線（しんかんせん）で 食事（しょくじ）（はい） → 新幹線（しんかんせん）で 食事（しょくじ）が できますか。
   ……はい、できます。
   例（れい）2： カードで 払（はら）います（いいえ）
   → カードで 払（はら）う ことが できますか。
   ……いいえ、できません。
   1） 寮（りょう）の 部屋（へや）で 料理（りょうり）（いいえ） →
   2） 電話（でんわ）で 飛行機（ひこうき）の 予約（よやく）（はい） →
   3） 図書館（としょかん）で 辞書（じしょ）を 借（か）ります（いいえ） →
   4） ホテルから バスで 空港（くうこう）へ 行（い）きます（はい） →

4. 例（れい）： どんな 外国語（がいこくご）を 話（はな）しますか（英語（えいご））
   → どんな 外国語（がいこくご）を 話（はな）す ことが できますか。
   ……英語（えいご）を 話（はな）す ことが できます。
   1） 何（なん）メートルぐらい 泳（およ）ぎますか（100メートルぐらい） →
   2） どんな 料理（りょうり）を 作（つく）りますか（てんぷら） →
   3） どのくらい 本（ほん）を 借（か）りますか（2 週間（しゅうかん）） →
   4） 何時（なんじ）まで 車（くるま）を 止（と）めますか（夜（よる） 10時（じ）） →

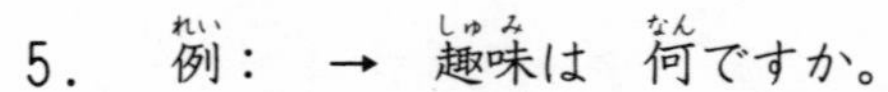
5．　例：　→　趣味は　何ですか。

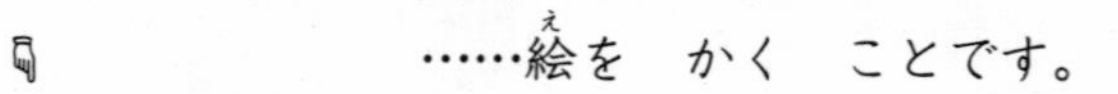
……絵を　かく　ことです。

1）　→　　　2）　→　　　3）　→　　　4）　→

6．　例：　→　寝る　まえに、お祈りを　します。

1）　→　　　2）　→　　　3）　→　　　4）　→

7．　例：　この　薬を　飲みます（寝ます）　→　いつ　この　薬を　飲みますか。

……寝る　まえに、飲みます。

1）　ジョギングを　します（会社へ　行きます）　→
2）　その　カメラを　買いました（日本へ　来ます）　→
3）　資料を　コピーします（会議）　→
4）　国へ　帰ります（クリスマス）　→
5）　日本へ　来ました（5年）　→
6）　荷物を　送りました（3日）　→

練習(れんしゅう) C

1.　A：　①この　電話(でんわ)で　国際電話(こくさいでんわ)を　かける　ことが　できますか。

　　B：　いいえ。　すみませんが、②あちらの　電話(でんわ)で　かけて　ください。

　　A：　そうですか。

1）　①　この　カードで　払(はら)います

　　②　現金(げんきん)で　払(はら)います

2）　①　部屋(へや)で　ビデオを　見(み)ます

　　②　ロビーの　テレビで　見(み)ます

3）　①　ここで　新幹線(しんかんせん)の　切符(きっぷ)を　買(か)います

　　②　駅(えき)で　買(か)います

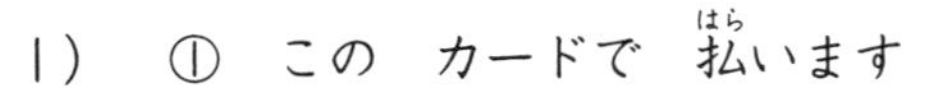

2.　A：　趣味(しゅみ)は　何(なん)ですか。

　　B：　①映画(えいが)を　見(み)る　ことです。

　　A：　どんな　①映画(えいが)を　見(み)ますか。

　　B：　②フランス映画(えいが)です。

　　A：　そうですか。

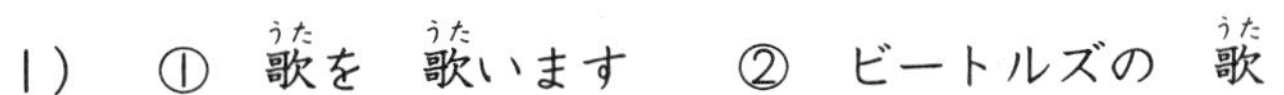

1）　①　歌(うた)を　歌(うた)います　　②　ビートルズの　歌(うた)

2）　①　絵(え)を　かきます　　②　山(やま)の　絵(え)

3）　①　写真(しゃしん)を　撮(と)ります　②　花(はな)の　写真(しゃしん)

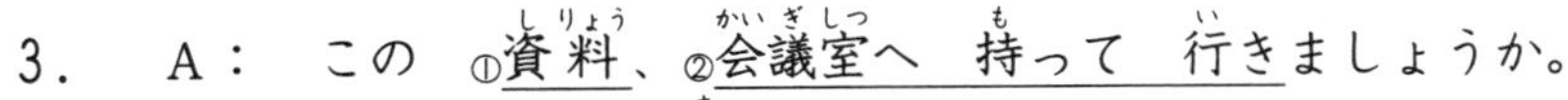

3.　A：　この　①資料(しりょう)、②会議室(かいぎしつ)へ　持(も)って　行(い)きましょうか。

　　B：　あ、ちょっと　待(ま)って　ください。

　　　　②持(も)って　行(い)く　まえに、

　　　　③部長(ぶちょう)に　見(み)せて　ください。

　　A：　はい。

1）　①　レポート

　　②　きょう　出(だ)します

　　③　コピーします

2）　①　資料(しりょう)　　②　東京(とうきょう)に　送(おく)ります

　　③　課長(かちょう)に　見(み)せます

3）　①　カタログ　　②　もう　捨(す)てます

　　③　ここを　コピーします

問題

1.
1) ____________________
2) ____________________
3) ____________________
4) ____________________
5) ____________________

2. 1)（　）　2)（　）　3)（　）　4)（　）　5)（　）

3.

例：　泳ぎます	泳ぐ	8)　集めます	
1)　弾きます		9)　捨てます	
2)　話します		10)　見ます	
3)　持ちます		11)　浴びます	
4)　遊びます		12)　します	
5)　飲みます		13)　運転します	
6)　入ります		14)　（日本へ）来ます	
7)　歌います		15)　持って　来ます	

4. 例：　100メートル（ × ）　泳ぐ　こと（ が ）　できます。
1)　車（　）　運転（　）　できます。
2)　漢字（　）　50ぐらい　書く　こと（　）　できます。
3)　会議（　）　まえに、資料を　コピーしなければ　なりません。
4)　2年（　）まえに、大学を　出ました。

5. 例：　わたしは　ピアノを　（ 弾く ）　ことが　できます。

かきます	換えます	乗ります	~~弾きます~~	予約します

1)　わたしは　自転車に　（　　　）　ことが　できません。
2)　電話で　飛行機の　チケットを　（　　　）　ことが　できます。

3）　趣味は　絵を　（　　　　）　ことです。

4）　どこで　お金を　（　　　　）　ことが　できますか。

6．　例1：　友達の　うちへ　（　行きます　→　行く　まえに　）、電話を　かけます。

例2：　仕事が　（　終わります　→　終わってから　）、飲みに　行きます。

1）　朝　うちで　コーヒーを　（　飲みます　→　　　　　　）、会社へ　行きます。

2）　料理を　（　始めます　→　　　　　　）、手を　洗います。

3）　夜　（　寝ます　→　　　　　　）、日記を　書きます。

4）　銀行で　お金を　（　出します　→　　　　　　）、買い物に　行きました。

7．

子ども図書館

本の　借り方

- 受付で　カードを　作って　ください。
- 受付へ　本を　持って　来て、カードを　見せて　ください。
- 本は　2週間　借りる　ことが　できます。
- 辞書と　新聞と　新しい　雑誌は　借りる　ことが　できません。

コピーが　できます　（1枚　10円）

- 図書館の　本を　コピーする　ことが　できます。
- コピーは　受付で　しますから、本を　受付へ　持って　来て　ください。

1）（　　）本を　借りる　まえに、受付で　カードを　作らなければ　なりません。

2）（　　）1週間まえに、本を　借りましたから、きょう　返さなければ　なりません。

3）（　　）古い　雑誌を　借りる　ことが　できます。

4）（　　）図書館の　本を　コピーしては　いけません。

第(だい) 19 課(か)

文(ぶん)　型(けい)

1.　相撲(すもう)を　見(み)た　ことが　あります。
2.　休(やす)みの　日(ひ)は　テニスを　したり、散歩(さんぽ)に　行(い)ったり　します。
3.　これから　だんだん　暑(あつ)く　なります。

例(れい)　文(ぶん)

1.　北海道(ほっかいどう)へ　行(い)った　ことが　ありますか。
…はい、一度(いちど)　あります。　2年(ねん)まえに　友達(ともだち)と　行(い)きました。

2.　馬(うま)に　乗(の)った　ことが　ありますか。
…いいえ、一度(いちど)も　ありません。　ぜひ　乗(の)りたいです。

3.　冬休(ふゆやす)みは　何(なに)を　しましたか。
…京都(きょうと)の　お寺(てら)や　神社(じんじゃ)を　見(み)たり、友達(ともだち)と　パーティーを
したり　しました。

4.　日本(にほん)で　何(なに)を　したいですか。
…旅行(りょこう)を　したり、お茶(ちゃ)を　習(なら)ったり　したいです。

5.　体(からだ)の　調子(ちょうし)は　どうですか。
…おかげさまで　よく　なりました。

6.　日本語(にほんご)が　上手(じょうず)に　なりましたね。
…ありがとう　ございます。　でも、まだまだです。

7.　テレサちゃんは　何(なん)に　なりたいですか。
…医者(いしゃ)に　なりたいです。

会　話

ダイエットは　あしたから　します

皆　　　：乾杯。

松本良子：マリアさん、あまり　食べませんね。

マリア　：ええ。　実は　きのうから　ダイエットを　して　います。

松本良子：そうですか。　わたしも　何回も　ダイエットを　した
　　　　　ことが　あります。

マリア　：どんな　ダイエットですか。

松本良子：毎日　りんごだけ　食べたり、水を　たくさん　飲んだり
　　　　　しました。

松本部長：しかし、無理な　ダイエットは　体に　よくないですよ。

マリア　：そうですね。

松本良子：マリアさん、この　ケーキ、おいしいですよ。

マリア　：そうですか。
　　　　　……。　ダイエットは　また　あしたから　します。

練習（れんしゅう） A

1.

	ます形（けい）			た形（けい）		
I	か	き	ます	か	い	た
	い	き	ます	＊い	っ	た
	いそ	ぎ	ます	いそ	い	だ
	の	み	ます	の	ん	だ
	よ	び	ます	よ	ん	だ
	とま	り	ます	とま	っ	た
	か	い	ます	か	っ	た
	ま	ち	ます	ま	っ	た
	はな	し	ます	はな	し	た

	ます形（けい）		た形（けい）	
II	たべ	ます	たべ	た
	でかけ	ます	でかけ	た
	おき	ます	おき	た
	あび	ます	あび	た
	でき	ます	でき	た
	み	ます	み	た

	ます形（けい）		た形（けい）	
III	き	ます	き	た
	し	ます	し	た
	せんたくし	ます	せんたくし	た

2. わたしは

沖縄（おきなわ）へ	いった	ことが　あります。
富士山（ふじさん）に	のぼった	
すしを	たべた	

3. 毎晩（まいばん）

テレビを	みた	り、	本（ほん）を	よんだ	り　します。
手紙（てがみ）を	かいた		音楽（おんがく）を	きいた	
日本語（にほんご）を	べんきょうした		パソコンで	あそんだ	

4. テレサちゃんは

せが　たか	く	なりました。
きれい	に	
10さい	に	

練習(れんしゅう) B

1.　例(れい)：　→　広島(ひろしま)へ　行(い)った　ことが　あります。

　　1）　→　　　2）　→　　　3）　→　　　4）　→

2.　例(れい)：　カラオケに　行(い)きます（いいえ）

　　→　カラオケに　行(い)った　ことが　ありますか。

　　……いいえ、ありません。

1）　お茶(ちゃ)を　習(なら)います（はい）　→

2）　馬(うま)に　乗(の)ります（いいえ）　→

3）　日本人(にほんじん)の　うちに　泊(と)まります（はい）　→

4）　インドネシア料理(りょうり)を　食(た)べます（いいえ、一度(いちど)も）　→

3.　例(れい)：　日曜日(にちようび)　→　日曜日(にちようび)は　掃除(そうじ)したり、洗濯(せんたく)したり　します。

　　1）　夜(よる)　→　　　2）　休(やす)みの　日(ひ)　→

　　3）　きのう　→　　　4）　おととい　→

4.　例：　土曜日は　何を　しますか。(散歩します・ビデオを　見ます)
　　　　→　散歩したり、ビデオを　見たり　します。

1)　休みの　日は　何を　しますか。
　　(ゴルフの　練習を　します・うちで　本を　読みます)　→

2)　パーティーで　何を　しますか。
　　(ダンスを　します・歌を　歌います)　→

3)　冬休みは　何を　したいですか。
　　(スキーに　行きます・友達と　パーティーを　します)　→

4)　出張の　まえに、何を　しなければ　なりませんか。
　　(資料を　作ります・レポートを　送ります)　→

5.　例1：　→　寒く　なりました。
　　例2：　→　病気に　なりました。

1)　→　　　2)　→　　　3)　→

4)　→　　　5)　→　　　6)　→

6.　例：　毎日　練習しました・日本語が　上手です
　　　　→　毎日　練習しましたから、日本語が　上手に　なりました。

1)　甘い　物を　たくさん　食べました・歯が　悪いです　→

2)　スポーツを　しませんでした・体が　弱いです　→

3)　会社を　やめました・暇です　→

4)　うちで　ゆっくり　休みました・元気です　→

練習　C

1．　A：　①新幹線に　乗った　ことが　ありますか。

　　B：　ええ、あります。

　　A：　どうでしたか。

　　B：　とても　②速かったです。

　　1）　①　生け花を　します
　　　　　②　楽しいです

　　2）　①　牛どんを　食べます
　　　　　②　おいしいです

　　3）　①　パチンコを　します
　　　　　②　おもしろいです

2．　A：　もうすぐ　夏休みですね。

　　B：　ええ。

　　A：　夏休みは　何を　したいですか。

　　B：　そうですね。　①馬に　乗ったり、②釣りを　したり　したいです。

　　A：　いいですね。

　　1）　①　山に　登ります
　　　　　②　海で　泳ぎます

　　2）　①　本を　読みます
　　　　　②　スポーツを　します

　　3）　①　絵を　かきます
　　　　　②　音楽を　聞きます

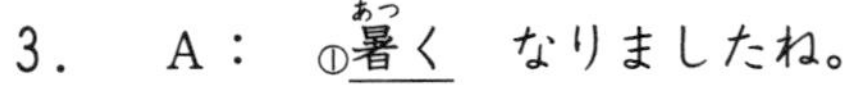

3．　A：　①暑く　なりましたね。

　　B：　そうですね。　もう　②夏ですね。

　　A：　ことしは　ぜひ　③泳ぎに　行きたいですね。

　　B：　ええ。

　　1）　①　涼しい　　②　秋
　　　　　③　紅葉を　見に　行きます

　　2）　①　寒い　　②　冬
　　　　　③　スキーに　行きます

　　3）　①　暖かい　　②　春
　　　　　③　花見に　行きます

問題(もんだい)

1. 1） ＿＿＿＿＿＿＿＿＿＿
   2） ＿＿＿＿＿＿＿＿＿＿
   3） ＿＿＿＿＿＿＿＿＿＿
   4） ＿＿＿＿＿＿＿＿＿＿

2. 1）（　　）　2）（　　）　3）（　　）　4）（　　）　5）（　　）

3.

例(れい)：　書(か)きます	書(か)いた	8）　乗(の)ります	
1）　行(い)きます		9）　消(け)します	
2）　働(はたら)きます		10）　食(た)べます	
3）　泳(およ)ぎます		11）　寝(ね)ます	
4）　飲(の)みます		12）　見(み)ます	
5）　遊(あそ)びます		13）　降(お)ります	
6）　持(も)ちます		14）　散歩(さんぽ)します	
7）　買(か)います		15）　来(き)ます	

4. 例(れい)：　ミラーさんは　日本語(にほんご)（　が　）　上手(じょうず)に　なりました。
   1）　沖縄(おきなわ)へ　行(い)った　こと（　　　）　ありますか。
   2）　ことし　18歳(さい)（　　　）　なります。
   3）　ホテルは　高(たか)いですから、友達(ともだち)の　うち（　　　）　泊(と)まります。
   4）　たばこは　体(からだ)（　　　）　よくないです。

5. 例(れい)：　日本(にほん)は　初(はじ)めてですか。
   ……いいえ、3年(ねん)まえに、一度(いちど)　（　来(き)た　）　ことが　あります。

掃除(そうじ)します	~~来(き)ます~~	聞(き)きます	買(か)い物(もの)に　行(い)きます
かきます	見(み)ます	行(い)きます	

1） ミラーさん、行き方が　わかりますか。

……ええ、一度　（　　　　　）　ことが　ありますから、大丈夫です。

2） 太郎君は　うちの　仕事を　手伝いますか。

……ええ、（　　　　　）り、（　　　　　）り　しますよ。

3） 趣味は　何ですか。

……絵を　（　　　　　）り、音楽を　（　　　　　）り　する
ことです。

4） 歌舞伎は　おもしろいですか。

……わたしは　歌舞伎を　（　　　　　）　ことが　ありませんから…。

6．　例：　（　寒く　）　なりましたね。　エアコンを　つけましょうか。

きれい	暗い	~~寒い~~	雨	眠い

1） 掃除しましたから、部屋が　（　　　　　）　なりました。

2） 日本は　冬　5時ごろ　（　　　　　）　なります。

3） おなかが　いっぱいです。　（　　　　　）　なりました。

4） 朝は　いい　天気でしたが、午後から　（　　　　　）　なりました。

7．

富士山

富士山を　見た　ことが　ありますか。　富士山は　3,776メートルで、日本で　いちばん　高い　山です。　静岡県と　山梨県の　間に　あります。　冬は　雪が　降って、白く　なります。　夏も　山の　上に　雪が　あります。　7月と　8月だけ　富士山に　登る　ことが　できます。　山の　上に　郵便局が　あって、手紙を　出したり、電話を　かけたり　する　ことが　できます。

夏と　秋、いい　天気の　朝　富士山は　赤く　なります。　とても　きれいですから、日本人は　写真を　撮ったり、絵を　かいたり　します。　葛飾北斎の　赤い　富士山の　絵は　有名です。

1）（　　）富士山は　世界で　いちばん　高い　山です。

2）（　　）夏は　富士山で　雪を　見る　ことが　できません。

3）（　　）富士山に　電話も　郵便局も　あります。

復習 C

1. 例： ファクス（ で ） レポートを 送ります。

　1) 雨（　　） 降って います。
　2) 今 グプタさんは 部長（　　） 話して います。
　3) イーさんは パソコン（　　） 持って います。
　4) この ファクス（　　） 使い方（　　） 教えて ください。
　5) わたしは 神戸（　　） 住んで います。
　6) ここ（　　） 車を 止めても いいですか。
　7) 7番の バス（　　） 乗って、大学前で 降ります。
　8) サントスさんは 背（　　） 高くて、髪（　　） 黒いです。
　9) カードを ここ（　　） 入れます。
　10) あの 信号（　　） 右（　　） 曲がって ください。
　11) ワンさんは 運転（　　） できます。
　12) カード（　　） 払う こと（　　） できますか。
　13) 食事（　　） まえに、手を 洗って ください。
　14) スポーツは 体（　　） いいです。
　15) 弟は 医者（　　） なりました。

C

2. 例： ちょっと （待ちます→ 待って ） ください。

　1) あの 喫茶店に （入ります→　　　　） ませんか。
　　……ええ、そう （します→　　　　） ましょう。
　2) コンピューターの 会社で （働きます→　　　　） たいです。
　3) 駅へ 友達を （迎えます→　　　　） に 行きます。
　4) 日本へ （勉強します→　　　　） に 来ました。
　5) すみませんが、ボールペンを （貸します→　　　　） ください。
　6) 今 電話を （かけます→　　　　） います。
　7) エアコンを （つけます→　　　　） ましょうか。
　8) この 電話を （使います→　　　　） も いいですか。
　9) マリアさんは （結婚します→　　　　） います。
　10) 京都で 彼女に （会います→　　　　）、映画を
　　（見ます→　　　　）、それから お茶を 飲みました。
　11) 昼ごはんを （食べます→　　　　） から、公園を 散歩します。
　12) ここで 写真を （撮ります→　　　　） ないで ください。
　13) 現金で （払います→　　　　） なければ なりません。
　14) あしたは （来ます→　　　　） なくても いいです。

15) どのくらい　(泳(およ)ぎます→　　　　　)　ことが　できますか。
16) 趣味(しゅみ)は　絵(え)を　(かきます→　　　　　)　ことです。
17) この　会社(かいしゃ)に　(入(はい)ります→　　　　　)　まえに、自動車(じどうしゃ)の　会社(かいしゃ)で
働(はたら)いて　いました。
18) 新幹線(しんかんせん)に　(乗(の)ります→　　　　　)　ことが　ありません。
19) 休(やす)みの　日(ひ)は　手紙(てがみ)を　(書(か)きます→　　　　　)り、音楽(おんがく)を
(聞(き)きます→　　　　　)り　します。
20) タワポンさんは　(頭(あたま)が　いいです→　　　　　)、おもしろい　人(ひと)です。
21) 奈良(なら)は　(静(しず)かです→　　　　　)、きれいな　町(まち)です。
22) パソコンが　(安(やす)いです→　　　　　)　なりました。
23) スキーが　(上手(じょうず)です→　　　　　)　なりました。

C

3. 例(れい)：佐藤(さとう)さんは　今(いま)　部長(ぶちょう)と　{ a. 話(はな)します。 / ⓑ. 話(はな)して　います。 }

1) この　時刻表(じこくひょう)を　{ a. もらいましょうか。 / b. もらっても　いいですか。 }
……はい、どうぞ。

2) 暑(あつ)いですね。　窓(まど)を　開(あ)けましょうか。
……{ a. ええ、開(あ)けます。 / b. ええ、開(あ)けて　ください。 }

3) わたしは　ミラーさんの　住所(じゅうしょ)を　{ a. 知(し)って　います。 / b. 知(し)ります。 }

4) 飲(の)み物(もの)は　{ a. 食事(しょくじ)が　終(お)わってから、 / b. 食事(しょくじ)が　終(お)わって、 }　持(も)って　来(き)て　ください。

5) パーティーは　どうでしたか。
……{ a. にぎやかで、楽(たの)しかったです。 / b. にぎやかで、楽(たの)しいです。 }

6) 毎日(まいにち)　来(こ)なければ　なりませんか。
……{ a. いいえ、毎日(まいにち)　来(こ)なくても　いいです。 / b. いいえ、毎日(まいにち)　来(こ)ないで　ください。 }

7) ミラーさんは　スペイン語(ご)を　{ a. 話(はな)す　ことが　できません。 / b. 話(はな)しては　いけません。 }

8) 歌舞伎(かぶき)を　見(み)た　ことが　ありますか。
……{ a. はい、見(み)ます。 / b. はい、あります。 }

第 20 課

文 型

1. サントスさんは　パーティーに　来なかった。
2. 日本は　物価が　高い。
3. 沖縄の　海は　きれいだった。
4. きょうは　僕の　誕生日だ。

例 文

1. アイスクリーム[を]　食べる？
   …うん、食べる。

2. そこに　はさみ[が]　ある？
   …ううん、ない。

3. きのう　木村さんに　会った？
   …ううん、会わなかった。

4. あした　みんなで　京都[へ]　行かない？
   …うん、いいね。

5. その　カレーライス[は]　おいしい？
   …うん、辛いけど、おいしい。

6. 今　暇？
   …うん、暇。　何？
   ちょっと　手伝って。

7. 辞書[を]　持って　[い]る？
   …ううん、持って　[い]ない。

会話(かいわ)

夏休(なつやす)みは　どう　するの？

小林(こばやし)　：　夏休(なつやす)みは　国(くに)へ　帰(かえ)るの？

タワポン：　ううん。　帰(かえ)りたいけど、……。
小林君(こばやしくん)は　どう　するの？

小林(こばやし)　：　どう　しようかな……。
タワポン君(くん)、富士山(ふじさん)に　登(のぼ)った　こと　ある？

タワポン：　ううん。

小林(こばやし)　：　じゃ、よかったら、いっしょに　行(い)かない？

タワポン：　うん。　いつごろ？

小林(こばやし)　：　8月(がつ)の　初(はじ)めごろは　どう？

タワポン：　いいね。

小林(こばやし)　：　じゃ、いろいろ　調(しら)べて、また　電話(でんわ)するよ。

タワポン：　ありがとう。　待(ま)ってるよ。

練習 A

1.

丁寧形	普通形
かきます	かく
かきません	かかない
かきました	かいた
かきませんでした	かかなかった
あります	ある
ありません	*ない
ありました	あった
ありませんでした	*なかった
おおきいです	おおきい
おおきくないです	おおきくない
おおきかったです	おおきかった
おおきくなかったです	おおきくなかった
きれいです	きれいだ
きれいじゃ　ありません	きれいじゃ　ない
きれいでした	きれいだった
きれいじゃ　ありませんでした	きれいじゃ　なかった
あめです	あめだ
あめじゃ　ありません	あめじゃ　ない
あめでした	あめだった
あめじゃ　ありませんでした	あめじゃ　なかった

2.　わたしは

あした　東京へ	いく。
毎日	いそがしい。
相撲が	すきだ。
	サラリーマンだ。
富士山に	のぼりたい。
大阪に	すんで　いる。
市役所へ	いかなければ　ならない。
レポートを	かかなくても　いい。
ドイツ語を	はなす　ことが　できる。
ドイツへ	いった　ことが　ない。

練習(れんしゅう) B

1. 例：　毎日　彼に　電話します。 → 毎日　彼に　電話する。
   1）　あした　また　来ます。 → くる
   2）　きょうは　何も　買いません。 → かわない
   3）　少し　疲れました。 → つかれた
   4）　きのう　日記を　書きませんでした。 → かかなかった

2. 例：　着物は　高いです。 → 着物は　高い。
   1）　日本語の　勉強は　おもしろいです。 →
   2）　その　辞書は　よくないです。 →
   3）　けさは　頭が　痛かったです。 →
   4）　きのうの　パーティーは　楽しくなかったです。 →

3. 例：　きょうは　暇です。 → きょうは　暇だ。
   1）　カリナさんは　絵が　上手です。 →
   2）　きょうは　休みじゃ　ありません。 →
   3）　きのうは　雨でした。 →
   4）　先週の　土曜日は　暇じゃ　ありませんでした。 →

4. 例：　そちらへ　行っては　いけません。 → そっちへ　行っては　いけない。
   1）　もう　一度　歌舞伎を　見たいです。 →
   2）　電話番号を　調べなければ　なりません。 →
   3）　きのうは　映画を　見たり、音楽を　聞いたり　しました。 →
   4）　この　電話を　使っても　いいです。 →

5．　例：　あした　うちに　いますか。（うん）→　あした　うちに　いる？
……うん、いる。

1）　ビザが　要りますか。（ううん）→
2）　けさ　新聞を　読みましたか。（ううん）→
3）　日曜日　どこか　行きましたか。（ううん、どこも）→
4）　いつ　木村さんに　会いますか。（今月の　終わりごろ）→

6．　例：　ビールと　ワインと　どちらが　いいですか。（ワイン）
→　ビールと　ワインと　どっちが　いい？
……ワインの　ほうが　いい。

1）　東京は　大阪より　人が　多いですか。（うん、ずっと）→
2）　あの　店は　サービスが　いいですか。（ううん、あまり）→
3）　映画は　おもしろかったですか。（ううん、全然）→
4）　旅行で　どこが　いちばん　楽しかったですか。（イタリア）→

7．　例：　元気ですか。（うん）→　元気？
……うん、元気。

1）　今　何時ですか。（5時40分）→
2）　きょう　デパートは　休みですか。（ううん）→
3）　犬と　猫と　どちらが　好きですか。（猫）→
4）　富士山は　どうでしたか。（きれい）→

8．　例：　今　雨が　降って　いますか。（うん）→　今　雨が　降って　いる？
……うん、降って　いる。

1）　佐藤さんの　住所を　知って　いますか。（ううん）→
2）　九州へ　行った　ことが　ありますか。（ううん）→
3）　ピアノを　弾く　ことが　できますか。（うん）→
4）　レポートを　書かなければ　なりませんか。（ううん）→

練習　C

1.　A：　①相撲[が]　好き？

B：　うん。

A：　②チケット[が]　あるけど、

いっしょに　③行かない？

B：　いいね。

1）　①　コーヒー

②　ブラジルの　コーヒー　　③　飲みます

2）　①　チョコレート

②　スイスの　チョコレート　　③　食べます

3）　①　ジャズ

②　コンサートの　チケット　　③　行きます

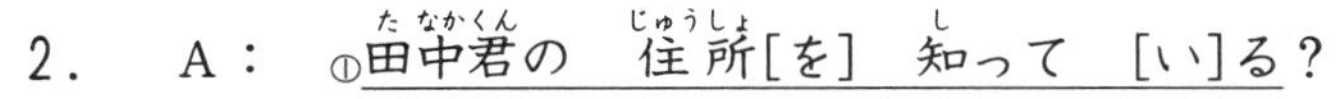

2.　A：　①田中君の　住所[を]　知って　[い]る？

B：　うん。

A：　じゃ、ちょっと　②教えて。

B：　いいよ。

1）　①　細かい　お金[を]

持って　[い]ます

②　貸します

2）　①　時間[が]　あります

②　手伝います

3）　①　自転車の　修理[が]　できます

②　直します

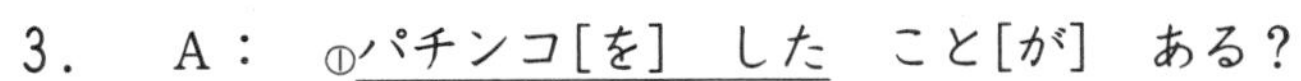

3.　A：　①パチンコ[を]　した　こと[が]　ある？

B：　うん、この間　①したよ。

A：　どうだった？

B：　②難しかったけど、③おもしろかった。

1）　①　カラオケに　行きます

②　楽しかったです　　③　疲れました

2）　①　すき焼き[を]　食べます

②　甘かったです　　③　おいしかったです

3）　①　歌舞伎[を]　見ます

②　ことばが　わかりませんでした　　③　きれいでした

問題(もんだい)

1.
1) ＿＿＿＿＿＿＿＿＿＿＿＿＿＿＿＿
2) ＿＿＿＿＿＿＿＿＿＿＿＿＿＿＿＿
3) ＿＿＿＿＿＿＿＿＿＿＿＿＿＿＿＿
4) ＿＿＿＿＿＿＿＿＿＿＿＿＿＿＿＿
5) ＿＿＿＿＿＿＿＿＿＿＿＿＿＿＿＿

2. 1)(　　) 2)(　　) 3)(　　) 4)(　　) 5)(　　)

3.

例(れい)：　行(い)きます	行(い)く	行(い)かない	行(い)った	行(い)かなかった
泳(およ)ぎます			泳(およ)いだ	
貸(か)します	貸(か)す			
待(ま)ちます		待(ま)たない		
遊(あそ)びます				遊(あそ)ばなかった
飲(の)みます		飲(の)まない		
あります	ある			
買(か)います				買(か)わなかった
寝(ね)ます			寝(ね)た	
借(か)ります	借(か)りる			
します			した	
来(き)ます		来(こ)ない		
寒(さむ)いです	寒(さむ)い			
いいです			よかった	
暇(ひま)です				暇(ひま)じゃ　なかった
天気(てんき)です			天気(てんき)だった	

4. 例(れい)：図書館(としょかん)で　本(ほん)を　借(か)ります。　（　借(か)りる　）
1) きのう　家族(かぞく)に　電話(でんわ)を　かけましたか。　（　　　　）
2) わたしは　大阪(おおさか)に　住(す)んで　います。　（　　　　）
3) もう　帰(かえ)っても　いいですか。　（　　　　）
4) 東京(とうきょう)へ　遊(あそ)びに　行(い)きます。　（　　　　）

5）　ビザを　もらわなければ　なりません。　（　　　　　　　　　　　）
6）　ここで　たばこを　吸っては　いけません。（　　　　　　　　　　　）
7）　漢字を　読む　ことが　できません。　（　　　　　　　　　　　）
8）　刺身を　食べた　ことが　ありません。　（　　　　　　　　　　　）
9）　時間と　お金が　欲しいです。　（　　　　　　　　　　　）
10）　ここは　きれいな　海でした。　（　　　　　　　　　　　）

5．例：　あれは　何？　（　　何ですか　　）
1）　あの　人は　もう　結婚して　いる？　（　　　　　　　　　　　）
……ううん、独身だ。　（　　　　　　　　　　　）
2）　きのう　パーティーに　行った？　（　　　　　　　　　　　）
……ううん、行かなかった。　（　　　　　　　　　　　）
頭が　痛かったから。　（　　　　　　　　　　　）
3）　ミラーさん、いつも　元気ね。　（　　　　　　　　　　　）
……うん、若いから。　（　　　　　　　　　　　）

6．

日記

1月1日　金曜日　曇り

田中君、高橋君と　いっしょに　京都の　神社へ　行った。　古くて、大きい　神社だった。　人が　多くて、にぎやかだった。　着物の　女の　人が　たくさん　いた。　とても　きれいだった。　田中君と　高橋君は　神社の　前の　箱に　お金を　入れて、いろいろ　お願いした。　それから　みんなで　写真を　撮ったり、お土産を　買ったり　した。　天気は　あまり　よくなかったが、暖かかった。　うちへ　帰ってから、アメリカの　家族に　電話を　かけた。　みんな　元気だった。

lots of

1）（まる）古くて、大きい　神社へ　行きました。
2）（まる）着物の　女の　人を　たくさん　見ました。
3）（ばつ）神社へ　行く　まえに、家族と　電話で　話しました。
4）（まる）神社で　写真を　撮りました。

第21課

文型

1. あした　雨が　降ると　思います。
2. 首相は　来月　アメリカへ　行くと　言いました。

例文

1. 仕事と　家族と　どちらが　大切ですか。
   …どちらも　大切だと　思います。

2. 日本に　ついて　どう　思いますか。
   …物価が　高いと　思います。

3. ミラーさんは　どこですか。
   …会議室に　いると　思います。

4. ミラーさんは　この　ニュースを　知って　いますか。
   …いいえ、たぶん　知らないと　思います。
   　ミラーさんは　出張して　いましたから。

5. テレサちゃんは　もう　寝ましたか。
   …はい、もう　寝たと　思います。

6. 食事の　まえに、お祈りを　しますか。
   …いいえ、しませんが、「いただきます」と　言います。

7. 会議で　何か　意見を　言いましたか。
   …はい。　むだな　コピーが　多いと　言いました。

8. 7月に　京都で　お祭りが　あるでしょう？
   …ええ、あります。

会話

わたしも　そう　思います

松　本：　あ、サントスさん、しばらくですね。

サントス：　あ、松本さん、お元気ですか。

松　本：　ええ。　ちょっと　ビールでも　飲みませんか。

サントス：　いいですね。

サントス：　今晩　10時から　日本と　ブラジルの　サッカーの　試合が
ありますね。

松　本：　ああ、そうですね。　ぜひ　見ないと……。
サントスさんは　どちらが　勝つと　思いますか。

サントス：　もちろん　ブラジルですよ。

松　本：　でも、最近　日本も　強く　なりましたよ。

サントス：　ええ、わたしも　そう　思いますが、……。
あ、もう　帰らないと……。

松　本：　そうですね。　じゃ、帰りましょう。

練習(れんしゅう)　A

1.

あした　雨(あめ)が	ふる	と　思(おも)います。
佐藤(さとう)さんは　ゴルフを	しない	
山田(やまだ)さんは　もう	かえった	
日本(にほん)は　物価(ぶっか)が	たかい	
日本(にほん)は　交通(こうつう)が	べんりだ	

2.

首相(しゅしょう)は	あした　大統領(だいとうりょう)に	あう	と　言(い)いました。
	来月(らいげつ)　アメリカへ	いかない	
	英語(えいご)で　スピーチを	した	
	経済(けいざい)の　問題(もんだい)は	むずかしい	
	会議(かいぎ)は	たいへんだ	

3.

あした　パーティーに	くる	でしょう？
お寺(てら)で　コンサートが	あった	
大阪(おおさか)は　食(た)べ物(もの)が	おいしい	
図書館(としょかん)の　人(ひと)は	しんせつ	

練習　B

1.　例：　経済の　勉強は　おもしろいです
　　→　経済の　勉強は　おもしろいと　思います。
1）　山田さんは　ほんとうに　よく　働きます　→
2）　パワー電気の　製品は　デザインが　いいです　→
3）　ミラーさんは　時間の　使い方が　上手です　→
4）　ダイエットは　むだでした　→

2.　例：　ファクスは　便利だと　思いますか。（はい）
　　→　はい、便利だと　思います。
1）　大阪の　水は　おいしいと　思いますか。（いいえ、あまり）　→
2）　ワットさんは　いい　先生だと　思いますか。（はい、とても）　→
3）　犬と　猫と　どちらが　役に　立つと　思いますか。（犬）　→
4）　日本で　どこが　いちばん　きれいだと　思いますか。（奈良）　→

3.　例：　日本（交通が　便利です）　→　日本に　ついて　どう　思いますか。
　　……交通が　便利だと　思います。
1）　日本の　若い　人（よく　遊びます）　→
2）　日本の　野球（時間が　長いです）　→
3）　日本の　会社（夏休みが　短いです）　→
4）　あの　映画（ユーモアが　あって、楽しいです）　→

4.　例：　部長は　事務所に　いますか。（いいえ）
　　→　いいえ、いないと　思います。
1）　部長は　もう　帰りましたか。（はい）　→
2）　かぎは　どこですか。（あの　箱の　中）　→
3）　あしたの　試合は　中国と　日本と　どちらが　勝ちますか。
　　（きっと　中国）　→
4）　山田さんは　この　ニュースを　知って　いますか。
　　（いいえ、たぶん）　→

5．例：→ ミラーさんは あした 東京へ 出張すると 言いました。
1）→ 2）→ 3）→ 4）→

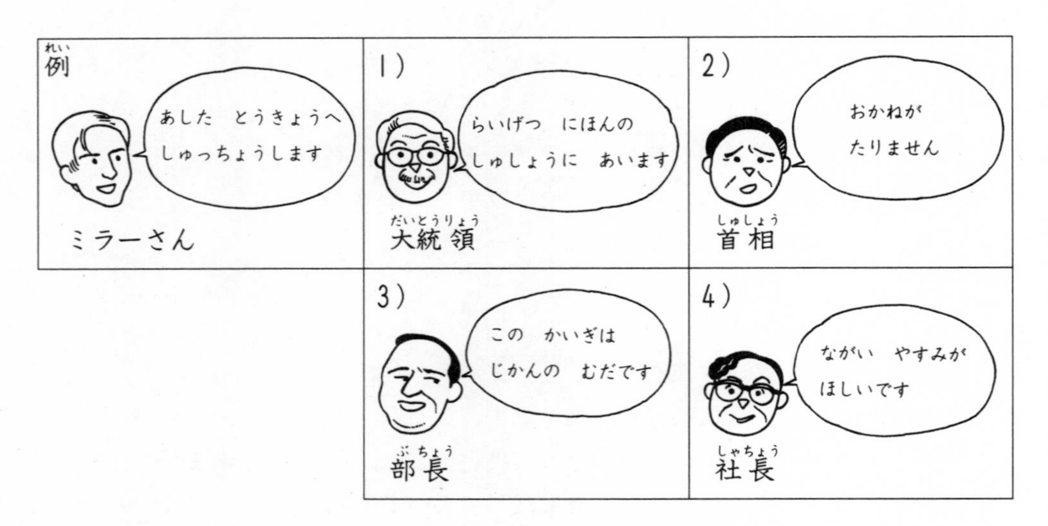

例
あした とうきょうへ しゅっちょうします
ミラーさん
1）
らいげつ にほんの しゅしょうに あいます
大統領
2）
おかねが たりません
首相
3）
この かいぎは じかんの むだです
部長
4）
ながい やすみが ほしいです
社長

21

6．例：あしたは 休みです → あしたは 休みでしょう？
1）大阪は 緑が 少ないです →
2）ワットさんは 英語の 先生です →
3）木村さんは イーさんを 知りません →
4）きのう サッカーの 試合が ありました →

7．例1：日本は 食べ物が 高いでしょう？（ええ）→ ええ、高いです。
例2：その カメラは 高かったでしょう？（いいえ）
→ いいえ、そんなに 高くなかったです。
1）東京の ラッシュは すごいでしょう？（ええ）→
2）仕事は 大変でしょう？（いいえ）→
3）北海道は 寒かったでしょう？（いいえ）→
4）疲れたでしょう？（ええ）→

練習　C

1.　A：①日本の　生活に　ついて　どう　思いますか。
　　B：そうですね。　②便利ですが、物価が　高いと　思います。
　　A：ワットさんは　どう　思いますか。
　　C：わたしも　同じ　意見です。

1）①　新しい　空港

　　②　きれいですが、ちょっと　交通が　不便です
2）①　首相の　スピーチ
　　②　おもしろいですが、いつも　長いです
3）①　最近の　子ども
　　②　よく　勉強しますが、本を　読みません

2.　A：きのうの　先生の　お話は　おもしろかったですよ。
　　B：そうですか。　どんな　話でしたか。
　　A：先生は　いちばん　大切な
　　　　ものは　友達だと　言いました。
　　B：そうですか。　わたしは
　　　　そうは　思いませんが。

1）　頭が　いい　人は　料理が　上手です
2）　アルバイトは　時間の　むだです
3）　最近の　若い　人は　政治に　ついて　話しません

3.　A：①日本は　食べ物が　高いでしょう？
　　B：ええ、ほんとうに　①高いですね。
　　　　でも、②おいしいと　思います。

1）①　朝の　ラッシュは　すごいです
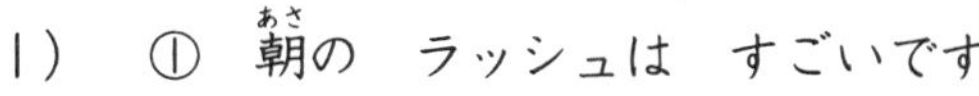
　　②　しかたが　ありません
2）①　相撲は　おもしろいです
　　②　チケットが　高いです
3）①　日本人は　電車で　よく　寝ます
　　②　危ないです

問題

1.
1) ________________
2) ________________
3) ________________
4) ________________
5) ________________

2. 1)（　　）　2)（　　）　3)（　　）　4)（　　）　5)（　　）

3. 例：　彼女は　来ますか。
……いいえ、きょうは　（　来ない　）と　思います。

おいしいです　帰ります　~~来ます~~　上手です　役に　立ちます

1)　大阪の　水は　どうですか。
……あまり　（　　　　）と　思います。

2)　鈴木さんは　英語が　できますか。
……ええ、（　　　　）と　思います。アメリカに　3年　いましたから。

3)　その　辞書は　いいですか。
……ええ、とても　（　　　　）と　思います。

4)　田中さんが　いませんね。
……かばんが　ありませんから、もう　うちへ　（　　　　）と
思います。

4. 例：　A：あした　暇ですか。
B：あしたは　会社へ　行かなければ　なりません。
→　Bさんは　あしたは　会社へ　行かなければ　ならないと
言いました。

1)　A：桜の　季節ですね。　どこか　お花見に　行きますか。
B：ええ、日曜日　家族と　大阪城公園へ　行きます。
→　Bさんは　________________と　言いました。

2)　A：この　本、おもしろいですよ。
B：そうですか。　じゃ、貸して　ください。
→　Aさんは　この　本は　________________と　言いました。

3）　Ａ：パーティーは　にぎやかでしたか。

Ｂ：ええ、とても　にぎやかでした。

→　Ｂさんは　パーティーは　＿＿＿＿＿＿＿＿＿＿と　言いました。

4）　Ａ：すみません。　日曜日の　試合を　見に　行く　ことが　できません。

Ｂ：そうですか。　残念です。

→　Ａさんは　日曜日　＿＿＿＿＿＿＿＿＿＿と　言いました。

5．　例：　おなかが　（　すいた　）でしょう？　何か　食べませんか。

あります	暑いです	~~すきました~~	地図です	疲れました

1）　来月　京都で　有名な　お祭りが　（　　　　）でしょう？

2）　（　　　　）でしょう？　少し　休みましょう。

3）　（　　　　）でしょう？　エアコンを　つけましょうか。

4）　それは　日本の　（　　　　）でしょう？　広島は　どこですか。

6．

カンガルー

この　動物の　名前を　知って　いますか。　『カンガルー』です。
オーストラリアに　住んで　います。　1778年に　イギリスの
キャプテン・クックは　船で　オーストラリアへ　行きました。　そして、
初めて　この　動物を　見ました。　クックは　オーストラリアの　人に
この　動物の　名前を　知りたいと　言いました。　その　人は
オーストラリアの　ことばで　「カンガルー（わたしは　知らない）」と
言いました。　それを　聞いて、イギリス人は　みんな
この　動物の　名前は　『カンガルー』だと　思いました。
それから、この　動物の　名前は　『カンガルー』に
なりました。

1）（　　）キャプテン・クックは　1778年まで　カンガルーを　見た　ことが
ありませんでした。

2）（　　）イギリス人は　オーストラリアの　人の　ことばが
わかりませんでした。

3）（　　）オーストラリアの　人は　この　動物の　名前を　知って　いました。

第22課

文型

1. これは　ミラーさんが　作った　ケーキです。
2. あそこに　いる　人は　ミラーさんです。
3. きのう　習った　ことばを　忘れました。
4. 買い物に　行く　時間が　ありません。

例文

1. これは　万里の　長城で　撮った　写真です。
   …そうですか。　すごいですね。

2. カリナさんが　かいた　絵は　どれですか。
   …あれです。　あの　海の　絵です。

3. あの　着物を　着て　いる　人は　だれですか。
   …木村さんです。

4. 山田さん、奥さんに　初めて　会った　所は　どこですか。
   …大阪城です。

5. 木村さんと　行った　コンサートは　どうでしたか。
   …とても　よかったです。

6. どう　しましたか。
   …きのう　買った　傘を　なくしました。

7. どんな　うちが　欲しいですか。
   …広い　庭が　ある　うちが　欲しいです。

8. 今晩　飲みに　行きませんか。
   …すみません。　今晩は　ちょっと　友達に　会う　約束が
   　あります。

会話

どんな　アパートが　いいですか

不動産屋：　こちらは　いかがですか。
　　　　　　家賃は　8万円です。
ワ　　ン：　うーん……。　ちょっと　駅から　遠いですね。
不動産屋：　じゃ、こちらは？
　　　　　　便利ですよ。　駅から　歩いて　3分ですから。
ワ　　ン：　そうですね。
　　　　　　ダイニングキチンと　和室が　1つと……。
　　　　　　すみません。　ここは　何ですか。
不動産屋：　押し入れです。　布団を　入れる　所ですよ。
ワ　　ン：　そうですか。
　　　　　　この　アパート、きょう　見る　ことが　できますか。
不動産屋：　ええ。　今から　行きましょうか。
ワ　　ン：　ええ、お願いします。

練習(れんしゅう) A

1. これは

女(おんな)の 人(ひと)が		よむ
日本(にほん)で	うって	いない
カリナさんに		かりた

雑誌(ざっし)です。

2.

あの 眼鏡(めがね)を	かけて いる
スキー旅行(りょこう)に	いかない
会議(かいぎ)で 意見(いけん)を	いった

人(ひと)は 山田(やまだ)さんです。

3.

ワットさんが	すんで いる
佐藤(さとう)さんが	うまれた
わたしが	いきたい

所(ところ)は 横浜(よこはま)です。

22

4.

あの 棚(たな)に	ある
パーティーで	きる
パリで	かった

服(ふく)を 見(み)せて ください。

5. わたしは

駅(えき)から	ちかい
広(ひろ)い 庭(にわ)が	ある
カラオケ・パーティーが	できる

うちが 欲(ほ)しいです。

6. わたしは

手紙(てがみ)を	かく
本(ほん)を	よむ
朝(あさ)ごはんを	たべる

時間(じかん)が ありません。

練習（れんしゅう） B

1. 例（れい）： 母（はは）に　もらいました → これは　母（はは）に　もらった　コートです。
   1） タワポンさんに　借（か）りました →
   2） 京都（きょうと）で　撮（と）りました →
   3） わたしが　作（つく）りました →
   4） カリナさんが　かきました →

2. 例（れい）： ミラーさん → ミラーさんは　どの　人（ひと）ですか。
   ……電話（でんわ）を　かけて　いる　人（ひと）です。
   1） 松本部長（まつもとぶちょう） →　　2） 山田（やまだ）さん →
   3） 佐藤（さとう）さん →　　4） 田中（たなか）さん →

3. 例（れい）： <ミラーさんが　よく　行（い）きます> 喫茶店（きっさてん）は　コーヒーが　おいしいです
   → ミラーさんが　よく　行（い）く　喫茶店（きっさてん）は　コーヒーが　おいしいです。
   1） <ワンさんが　働（はたら）いて　います> 病院（びょういん）は　神戸（こうべ）に　あります →
   2） <わたしが　いつも　買（か）い物（もの）します> スーパーは　野菜（やさい）が　安（やす）いです →
   3） <弟（おとうと）が　住（す）んで　います> アパートは　おふろが　ありません →
   4） <きのう　わたしが　行（い）きました> お寺（てら）は　きれいで、静（しず）かでした →

4.　例：　＜黒い　スーツを　着て　います＞　人は　だれですか
　　　→　黒い　スーツを　着て　いる　人は　だれですか。
　1）　＜旅行に　行きません＞　人は　だれですか　→
　2）　＜パーティーに　来ます＞　人は　何人ですか　→
　3）　＜初めて　ご主人に　会いました＞　所は　どこですか　→
　4）　＜京都で　泊まりました＞　ホテルは　どうでしたか　→

5.　例：　＜奈良で　撮りました＞　写真を　見せて　ください
　　　→　奈良で　撮った　写真を　見せて　ください。
　1）　＜彼に　あげます＞　お土産を　買います　→
　2）　＜要りません＞　物を　捨てます　→
　3）　＜病院で　もらいました＞　薬を　飲まなければ　なりません　→
　4）　＜イーさんの　隣に　座って　います＞　人を　知って　いますか　→

6.　例：　＜外で　します＞　スポーツが　好きです
　　　→　外で　する　スポーツが　好きです。
　1）　＜ユーモアが　わかります＞　人が　好きです　→
　2）　＜パソコンを　置きます＞　机が　欲しいです　→
　3）　＜会社の　人が　使います＞　日本語が　わかりません　→
　4）　＜母が　作りました＞　料理が　食べたいです　→

7.　例：　＜日曜日は　子どもと　遊びます＞　約束が　あります
　　　→　日曜日は　子どもと　遊ぶ　約束が　あります。
　1）　＜今晩は　友達と　食事します＞　約束が　あります　→
　2）　＜きょうは　市役所へ　行きます＞　用事が　あります　→
　3）　＜朝　新聞を　読みます＞　時間が　ありません　→
　4）　＜電話を　かけます＞　時間が　ありませんでした　→

練習　C

1.　A：　①先週　買った　②本は　どこに　ありますか。

B：　えーと、あの　机の　上に　ありますよ。

A：　あ、そうですか。　どうも。

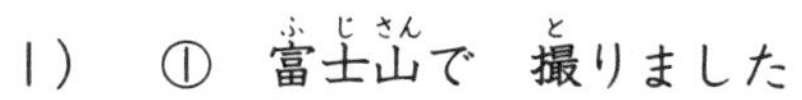

1）　①　富士山で　撮りました

②　写真

2）　①　田中さんに　もらいました

②　カタログ

3）　①　きのう　借りました

②　ビデオ

2.　A：　あの　人は　どなたですか。

B：　どの　人ですか。

A：　①赤い　セーターを　着て　いる　人です。

B：　ああ、②佐藤さんですよ。

1）　①　眼鏡を　かけて　います

②　松本さん

2）　①　帽子を　かぶって　います

②　山田さんの　奥さん

3）　①　白い　靴を　はいて　います

②　ワットさん

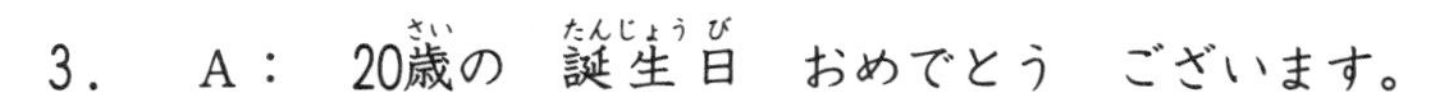

3.　A：　20歳の　誕生日　おめでとう　ございます。

B：　ありがとう　ございます。

A：　どんな　①仕事を　したいですか。

B：　そうですね。

②日本語を　使う　①仕事を　したいです。

1）　①　会社で　働きます

②　大きくて、あまり　残業が　ありません

2）　①　人と　結婚します

②　ユーモアが　あって、明るいです

3）　①　所に　住みます

②　近くに　山が　あって、スキーが　できます

問題

1. 1）＿＿＿＿＿＿＿＿
   2）＿＿＿＿＿＿＿＿
   3）＿＿＿＿＿＿＿＿
   4）＿＿＿＿＿＿＿＿
   5）＿＿＿＿＿＿＿＿

2. 1）（　　）　2）（　　）　3）（　　）　4）（　　）　5）（　　）

3. 例：　よく　寝る　人は　元気です。

~~よく　寝ます~~	図書館で　借りました	お酒を　飲みません
マリアさんから　来ました	庭が　あります	

1）　わたしは　＿＿＿＿＿＿＿＿　うちが　欲しいです。
2）　わたしは　＿＿＿＿＿＿＿＿　人が　好きです。
3）　＿＿＿＿＿＿＿＿　本を　なくしました。
4）　＿＿＿＿＿＿＿＿　手紙は　机の　上に　あります。

4. 例：　あの　黒い　シャツを　着て　いる　人は　（　だれ　）ですか。
……ミラーさんです。
1）　ここに　あった　新聞は　（　　　　）ですか。
……テレビの　上に　あります。
2）　マリアさんが　作った　ケーキは　（　　　　）でしたか。
……とても　おいしかったです。
3）　いちばん　新しい　パソコンは　（　　　　）ですか。
……これです。

5. 例：　どこで　撮りましたか。→　これは　どこで　撮った　写真ですか。

1) いつ 買いましたか。

→ ＿＿＿＿＿＿＿＿＿＿＿＿＿＿＿＿＿＿＿＿＿＿＿＿＿。

2) だれが 作りましたか。

→ ＿＿＿＿＿＿＿＿＿＿＿＿＿＿＿＿＿＿＿＿＿＿＿＿＿。

3) だれに もらいましたか。

→ ＿＿＿＿＿＿＿＿＿＿＿＿＿＿＿＿＿＿＿＿＿＿＿＿＿。

6. 例： 銀行へ 行く 時間が ありません。

1) 日曜日は ＿＿＿＿＿＿＿＿ 約束が あります。

2) ＿＿＿＿＿＿＿＿ 用事が あります。

3) ＿＿＿＿＿＿＿＿ 時間が ありません。

7. 日本人は 休みの 日に 何を しますか

	した 人	使った お金
食事に 出かける	66.0%	3,480円
カラオケに 行く	55.8	1,860
ビデオを 見る	44.3	520
ディズニーランドなどへ 行く	39.2	5,810
パチンコを する	28.1	3,140

資料 余暇開発センター「レジャー白書1995」

1)（ ）レストランなどで ごはんを 食べる 人は 少ないです。

2)（ ）カラオケに 行く 人は パチンコを する 人より 多いです。

3)（ ）カラオケは いちばん お金を 使いません。

復習　D

1．例：　（ⓐ．ちょっと　　b．早く　　c．すぐ）　待って　ください。

1）きのう　だれと　買い物に　行きましたか。
……（a．　みんな　　b．　一人で　　c．　いっしょに）　行きました。

2）もう　外国人登録を　しましたか。
……いいえ、（a．　もう　　b．　まだ　　c．　また）です。

3）9時ですね。　（a．　そろそろ　　b．　今　　c．　あとで）　失礼します。

4）きょうは　（a．　とても　　b．　よく　　c．　あまり）
寒くないです。

5）英語が　（a．　たくさん　　b．　よく　　c．　全然）　わかります。

6）東京は　大阪より　（a．　ずっと　　b．　いちばん　　c．　どちらも）
人が　多いです。

7）日本語が　あまり　わかりませんから、（a．　だんだん　　b．　速く
c．　ゆっくり）　話して　ください。

8）相撲を　（a．　なかなか　　b．　まず　　c．　一度も）　見た
ことが　ありません。

9）もう　6月です。　（a．　最近　　b．　次に　　c．　これから）
（a．　だんだん　　b．　そんなに　　c．　たくさん）　暑く　なります。

10）あまり　食べませんね。
……（a．　もちろん　　b．　ほんとうに　　c．　実は）
ダイエットを　して　います。

11）ミラーさんは　（a．　きっと　　b．　ぜひ　　c．　だいたい）
来ると　思います。

12）パーティーの　料理で　（a．　全部で　　b．　みんな　　c．　特に）
野菜カレーが　おいしかったです。

2．例：　東京は　にぎやかです。　（ⓐ．そして　　b．でも　　c．じゃ）、
おもしろいです。

1）旅行は　楽しかったです。　（a．　ですから　　b．　でも
c．　それから）、疲れました。

2）毎朝　ジョギングを　します。　（a．　でも　　b．　じゃ
c．　それから）、会社へ　行きます。

3）あした　暇ですか。
……ええ。
（a．　じゃ　　b．　そして　　c．　それから）　神戸へ　行きませんか。

3.

例(れい)： かきます	かく	かかない	かいた	かかなかった
	おく			
		いかない		
	いそぐ			
			のんだ	
あそびます				
		とらない		
あります				
				かわなかった
たちます				
	はなす			
			たべた	
		おぼえない		
				みなかった
		できない		
べんきょうします				
(日本(にほん)へ) きます				
いいです				
	いきたい			
ひまです				
		あめじゃ ない		

4. 例(れい)： あしたは 雨(あめ)が （降(ふ)ります→ 降(ふ)る ）と 思(おも)います。

1） ミラーさんは 傘(かさ)を （持(も)って いません→ ）と 思(おも)います。

2） サントスさんは （親切(しんせつ)です→ ）、（おもしろいです→ ） （いい 人(ひと)です→ ）と 思(おも)います。

3） 太郎君(たろうくん)は 何(なに)も （知(し)りません→ ）と 言(い)いました。

4） 課長(かちょう)は 会議(かいぎ)は （大変(たいへん)です→ ）と 言(い)いました。

5） 山田(やまだ)さんは （来(き)ません→ ）でしょう？

6） あしたは （暇(ひま)です→ ）でしょう？

7） ワットさんは 青(あお)い スーツを （着(き)て います→ ） 人(ひと)です。

8） 行(い)った ことが （ありません→ ） 国(くに)は 1(ひと)つだけです。

9） （読(よ)みたいです→ ） 本(ほん)が たくさん あります。

10） 子(こ)どもに 飛行機(ひこうき)の 本(ほん)を （あげます→ ） 約束(やくそく)を しました。

11） （買(か)い物(もの)します→ ） 時間(じかん)が ありません。

D

第23課

文型

1.　図書館で　本を　借りる　とき、カードが　要ります。
2.　この　ボタンを　押すと、お釣りが　出ます。

例文

1.　よく　テレビを　見ますか。
　…そうですね。　野球の　試合が　ある　とき、見ます。

2.　冷蔵庫に　何も　ない　とき、どう　しますか。
　…近くの　レストランへ　何か　食べに　行きます。

3.　会議室を　出る　とき、エアコンを　消しましたか。
　…すみません。　忘れました。

4.　サントスさんは　どこで　服や　靴を　買いますか。
　…夏休みや　お正月に　国へ　帰った　とき、買います。
　日本のは　小さいですから。

5.　それは　何ですか。
　…「元気茶」です。　体の　調子が　悪い　とき、飲みます。

6.　暇な　とき、うちへ　遊びに　来ませんか。
　…ええ、ありがとう　ございます。

7.　学生の　とき、アルバイトを　しましたか。
　…ええ、時々　しました。

8.　音が　小さいですね。
　…この　つまみを　右へ　回すと、大きく　なります。

9.　すみません。　市役所は　どこですか。
　…この　道を　まっすぐ　行くと、左に　あります。

会話

どうやって　行きますか

図書館の　人：　はい、みどり図書館です。

カリナ　：　あのう、そちらまで　どうやって　行きますか。

図書館の　人：　本田駅から　12番の　バスに　乗って、図書館前で　降りて　ください。　3つ目です。

カリナ　：　3つ目ですね。

図書館の　人：　ええ。　降りると、前に　公園が　あります。
図書館は　その　公園の　中の　白い　建物です。

カリナ　：　わかりました。
それから　本を　借りる　とき、何か　要りますか。

図書館の　人：　外国の　方ですか。

カリナ　：　はい。

図書館の　人：　じゃ、外国人登録証を　持って　来て　ください。

カリナ　：　はい。　どうも　ありがとう　ございました。

練習　A

1.

道を	わたる	とき、	車に　気を　つけます。
新聞を	よむ		眼鏡を　かけます。
使い方が	わからない		わたしに　聞いて　ください。

2.

うちへ	かえる	とき、	ケーキを　買います。
うちへ	かえった		「ただいま」と　言います。
会社へ	くる		駅で　部長に　会いました。
会社へ	きた		受付で　社長に　会いました。

3.

ねむ	い	とき、	コーヒーを　飲みます。
ひま	な		本を　読みます。
26さい	の		結婚しました。

4.

この　つまみを	まわす	と、	音が　大きく　なります。
これを	ひく		水が　出ます。
右へ	まがる		郵便局が　あります。

練習　B

1.　例：　新聞を　読みます・眼鏡を　かけます

→　新聞を　読む　とき、眼鏡を　かけます。

1)　病院へ　行きます・保険証を　忘れないで　ください　→

2)　散歩します・いつも　カメラを　持って　行きます　→

3)　漢字が　わかりません・この　辞書を　使います　→

4)　現金が　ありません・カードで　買い物します　→

2.　例1：　「行って　まいります」

→　出かける　とき、「行って　まいります」と　言います。

例2：　「ただいま」

→　うちへ　帰った　とき、「ただいま」と　言います。

1)　「お休みなさい」　→

2)　「おはよう　ございます」　→

3)　「ごちそうさま」　→

4)　「失礼します」　→

3.　例：　寂しいです・家族に　電話を　かけます

→　寂しい　とき、家族に　電話を　かけます。

1)　頭が　痛いです・この　薬を　飲みます　→

2)　暇です・ビデオを　見ます　→

3)　妻が　病気です・会社を　休みます　→

4)　晩ごはんです・ワインを　飲みます　→

4. 例： 受付の　人を　呼びます（この　ボタンを　押します）
→ 受付の　人を　呼ぶ　とき、どう　しますか。
……この　ボタンを　押します。

1） フィルムを　入れます（ここを　開けて　ください）→
2） 切符が　出ません（この　ボタンを　押して　ください）→
3） 電話番号を　知りたいです（104に　電話を　かけます）→
4） 冷蔵庫が　故障です（電気屋を　呼びます）→

5. 例： この　ボタンを　押します・切符が　出ます
→ この　ボタンを　押すと、切符が　出ます。

1） これを　引きます・いすが　動きます →
2） これに　触ります・水が　出ます →
3） この　つまみを　左へ　回します・音が　小さく　なります →
4） この　つまみを　右へ　回します・電気が　明るく　なります →

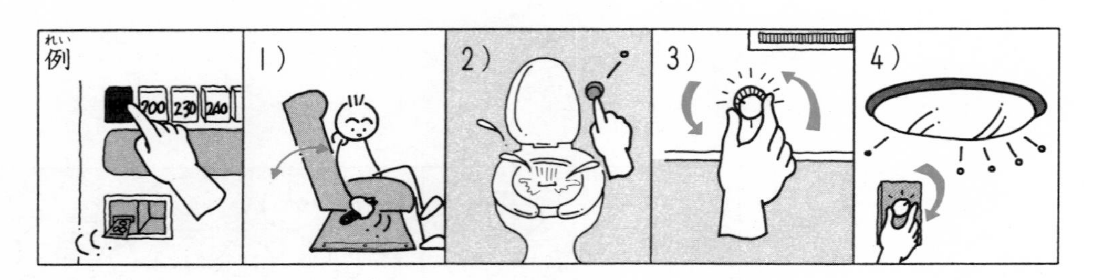

6. 例： 銀行 → 銀行は　どこですか。
……あの　交差点を　右へ　曲がると、左に　あります。

1） 市役所 →　　2） 美術館 →
3） 駐車場 →　　4） 電話 →

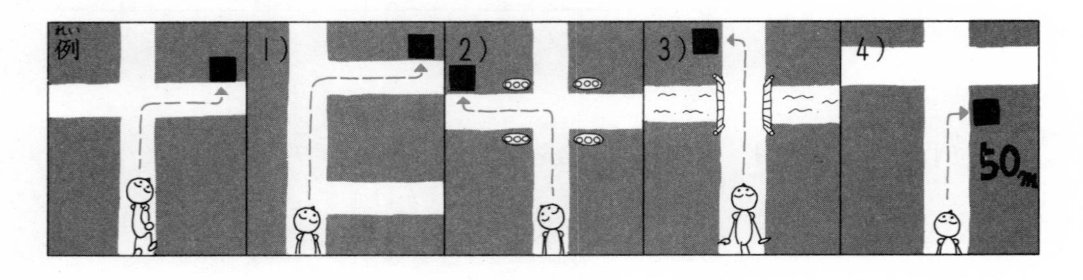

練習（れんしゅう） C

1\. A： すみません。 この ①機械（きかい）の 使（つか）い方（かた）を 教（おし）えて ください。
B： ええ。
A： ②お金（かね）を 出（だ）す とき、
どう しますか。
B： この ボタンを 押（お）します。

1） ① ビデオ ② テープを 止（と）めます
2） ① ファクス ② 紙（かみ）を 入（い）れます
3） ① コピー ② サイズを 変（か）えます

2\. A： すみません。
B： 何（なん）ですか。
A： ①友達（ともだち）が 会社（かいしゃ）に 入（はい）った とき、日本人（にほんじん）は どんな 物（もの）を あげますか。

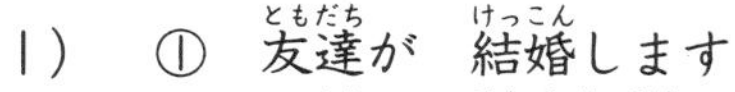

B： そうですね。 ②ネクタイや かばんなどですね。
A： そうですか。

1） ① 友達（ともだち）が 結婚（けっこん）します
② お金（かね）や 電気製品（でんきせいひん）
2） ① 子（こ）どもが 生（う）まれました
② お金（かね）や 服（ふく）
3） ① 友達（ともだち）が 新（あたら）しい うちに 引（ひ）っ越（こ）ししました
② 絵（え）や 時計（とけい）

3\. A： ちょっと すみません。

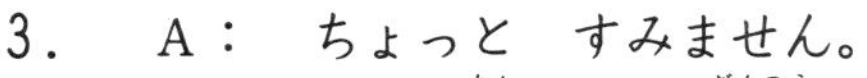

この 近（ちか）くに ①銀行（ぎんこう）が ありますか。
B： ①銀行（ぎんこう）ですか。 あそこに 信号（しんごう）が
ありますね。
A： ええ。
B： あそこを 渡（わた）って、②まっすぐ 行（い）くと、
右（みぎ）に あります。

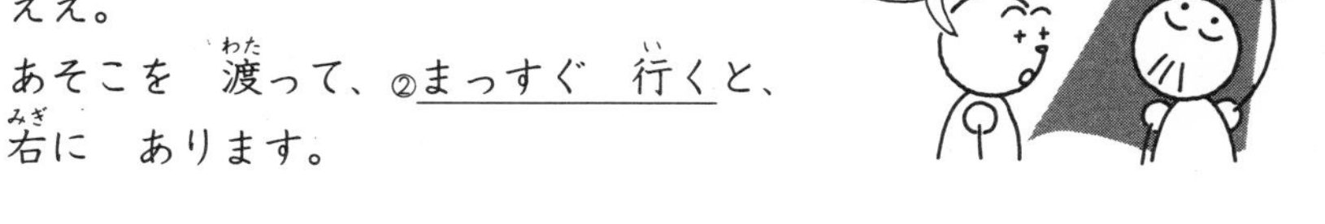

1） ① スーパー ② 1つ目（ひとつめ）の 角（かど）を 右（みぎ）へ 曲（ま）がります
2） ① 郵便局（ゆうびんきょく） ② 2つ目（ふたつめ）の 角（かど）を 左（ひだり）へ 曲（ま）がります
3） ① 本屋（ほんや） ② 100メートルぐらい 歩（ある）きます

問題

1.　1）＿＿＿＿＿＿＿＿＿＿＿＿＿＿＿＿＿＿＿＿
　　2）＿＿＿＿＿＿＿＿＿＿＿＿＿＿＿＿＿＿＿＿
　　3）＿＿＿＿＿＿＿＿＿＿＿＿＿＿＿＿＿＿＿＿
　　4）＿＿＿＿＿＿＿＿＿＿＿＿＿＿＿＿＿＿＿＿
　　5）＿＿＿＿＿＿＿＿＿＿＿＿＿＿＿＿＿＿＿＿

2.　1）

①
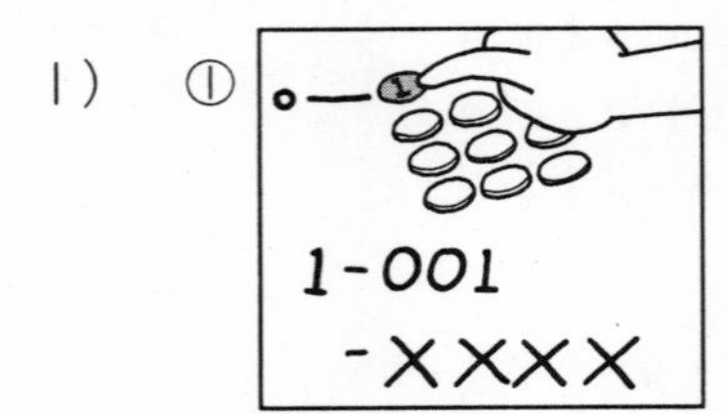

②
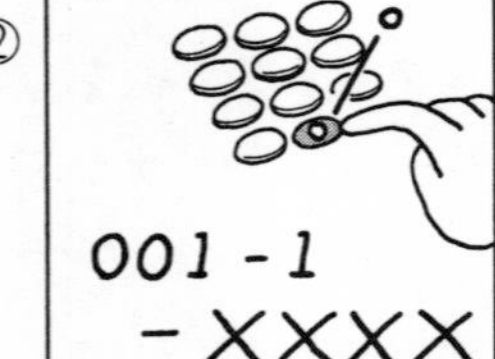

③
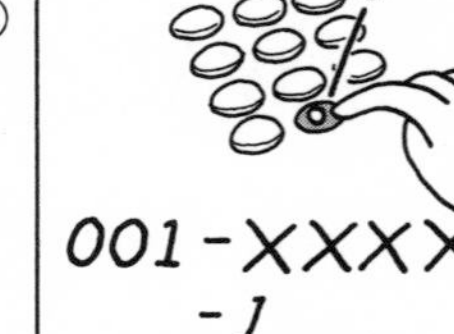

　　2）

①
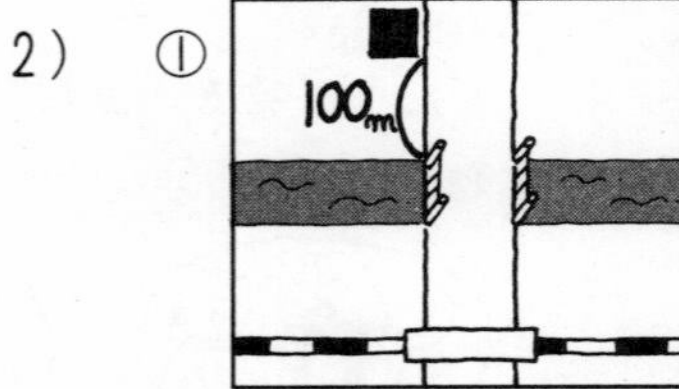

②

③
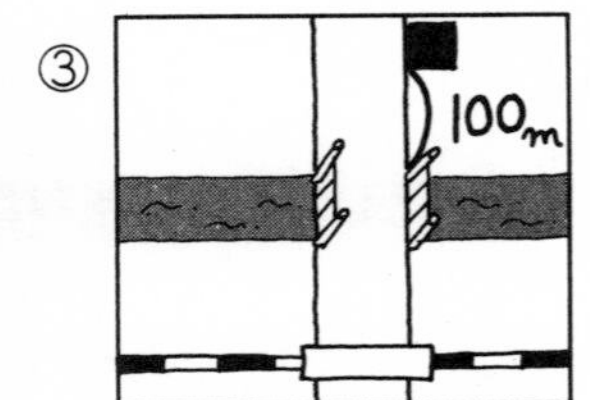

3.　1）（　　）　2）（　　）　3）（　　）

4.　例1：　買い物に　（ 行く ）　とき、カードを　持って　行きます。
　　例2：　妻が　（ いない ）　とき、レストランで　食事します。

ありますすか、~~います~~、　借ります、　~~行きます~~、　渡ります、　出ます

1）　図書館で　本を　（　　　）　とき、カードが　要ります。
2）　道を　（　　　）　とき、左と　右を　よく　見なければ　なりません。
3）　時間が　（　　　）　とき、朝ごはんを　食べません。
4）　お釣りが　（　　　）　とき、この　ボタンを　押して　ください。

5．例：うちへ　（帰る、 帰った ）　とき、「ただいま」と　言います。

1）（疲れる、　疲れた）　とき、熱い　おふろに　入って、早く　寝ます。

2）うちを　（出る、　出た）　とき、電気を　消しませんでした。

3）朝　（起きる、　起きた）　とき、家族の　写真に　「おはよう」と　言います。

4）きのうの　夜　（寝る、　寝た）　とき、少し　お酒を　飲みました。

6．例：（眠いです→　　眠い　　）　とき、顔を　洗います。

1）（暇です→　　　　　　）　とき、遊びに　来て　ください。

2）（独身です→　　　　　　）　とき、よく　旅行を　しました。

3）母は　（若いです→　　　　　　）　とき、とても　きれいでした。

7．例：この　お茶を　（飲む）と、元気に　なります。

1）あの　交差点を　左へ　（　　　　）と、銀行が　あります。

2）この　つまみを　右へ　（　　　　）と、音が　大きく　なります。

3）この　料理は　少し　お酒を　（　　　　）と、おいしく　なります。

8．

聖徳太子

聖徳太子は　574年に　奈良で　生まれました。子どもの　とき、勉強が　好きで、馬の　乗り方も　上手で、友達が　たくさん　いました。一度に　10人の　人の　話を　聞く　ことが　できました。

20歳に　なった　とき、国の　政治の　仕事を　始めました。そして　お寺を　造ったり、日本人を　中国に　送ったり　しました。中国から　漢字や　政治の　し方や　町の　造り方などを　習いました。本も　書きました。

聖徳太子が　造った　法隆寺は　奈良に　あります。世界の　木の　建物の　中で　いちばん　古い　建物です。

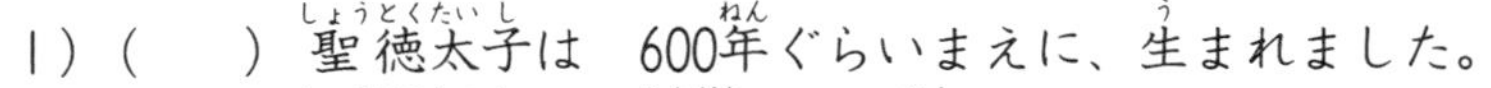

1）（　　）聖徳太子は　600年ぐらいまえに、生まれました。

2）（　　）聖徳太子は　友達が　10人　いました。

3）（　　）聖徳太子は　中国へ　行って、漢字や　馬の　乗り方を　習いました。

4）（　　）法隆寺は　世界の　建物の　中で　いちばん　古いです。

第24課

文型

1.　佐藤さんは　わたしに　クリスマスカードを　くれました。
2.　わたしは　木村さんに　本を　貸して　あげました。
3.　わたしは　山田さんに　病院の　電話番号を　教えて　もらいました。
4.　母は　わたしに　セーターを　送って　くれました。

例文

1.　太郎君は　おばあちゃんが　好きですか。
…はい、好きです。　おばあちゃんは　いつも　お菓子を　くれます。

2.　おいしい　ワインですね。
…ええ、佐藤さんが　くれました。　フランスの　ワインです。

3.　太郎君は　母の　日に　お母さんに　何を　して　あげますか。
…ピアノを　弾いて　あげます。

4.　ミラーさん、きのうの　パーティーの　料理は　全部　自分で　作りましたか。
…いいえ、ワンさんに　手伝って　もらいました。

5.　電車で　行きましたか。
…いいえ。　山田さんが　車で　送って　くれました。

会話

手伝って　くれますか

カリナ：　ワンさん、あした　引っ越しですね。
　　　　　手伝いに　行きましょうか。
ワン：　ありがとう　ございます。
　　　　　じゃ、すみませんが、9時ごろ　お願いします。
カリナ：　ほかに　だれが　手伝いに　行きますか。
ワン：　山田さんと　ミラーさんが　来て　くれます。
カリナ：　車は？
ワン：　山田さんに　ワゴン車を　貸して　もらいます。
カリナ：　昼ごはんは　どう　しますか。
ワン：　えーと……。
カリナ：　わたしが　お弁当を　持って　行きましょうか。
ワン：　すみません。　お願いします。
カリナ：　じゃ、また　あした。

練習(れんしゅう) A

1. ミラーさんは　わたしに　［ワイン／はな／カード］　を　くれました。

ミラーさんは　わたしに	ワイン	を	くれました。
	はな		
	カード		

2. これは　［ブラジルの　コーヒー／メキシコの　ぼうし／ちゅうごくの　おちゃ］　です。　［サントスさん／ミラーさん／ワンさん］　が　くれました。

これは	ブラジルの　コーヒー	です。	サントスさん	が	くれました。
	メキシコの　ぼうし		ミラーさん		
	ちゅうごくの　おちゃ		ワンさん		

3. わたしは　カリナさんに　［CD を　かして／電話番号(でんわばんごう)を　おしえて／ことばの　意味(いみ)を　せつめいして］　あげました。

わたしは　カリナさんに	CD を	かして	あげました。
	電話番号(でんわばんごう)を	おしえて	
	ことばの　意味(いみ)を	せつめいして	

4. わたしは　山田(やまだ)さんに　［大阪城(おおさかじょう)へ　つれて　いって／引(ひ)っ越(こ)しを　てつだって／旅行(りょこう)の　写真(しゃしん)を　みせて］　もらいました。

わたしは　山田(やまだ)さんに	大阪城(おおさかじょう)へ	つれて　いって	もらいました。
	引(ひ)っ越(こ)しを	てつだって	
	旅行(りょこう)の　写真(しゃしん)を	みせて	

5. 山田(やまだ)さんは　わたしに　［地図(ちず)を　かいて／コーヒーを　いれて／おふろの　入(はい)り方(かた)を　せつめいして］　くれました。

山田(やまだ)さんは　わたしに	地図(ちず)を	かいて	くれました。
	コーヒーを	いれて	
	おふろの　入(はい)り方(かた)を	せつめいして	

練習(れんしゅう) B

1. 例(れい)： → わたしは　イーさんに　プレゼントを　もらいました。
　　　　→ イーさんは　わたしに　プレゼントを　くれました。

　1）→　　2）→　　3）→　　4）→
　　→　　　→　　　→　　　→

2. 例(れい)： 道(みち)を　教(おし)えます・おじいさん
　　→ わたしは　おじいさんに　道(みち)を　教(おし)えて　あげました。

　1）自転車(じてんしゃ)を　貸(か)します・テレサちゃん →
　2）手紙(てがみ)を　読(よ)みます・おばあさん →
　3）スペイン料理(りょうり)を　作(つく)ります・友達(ともだち) →
　4）飛行機(ひこうき)の　雑誌(ざっし)を　見(み)せます・太郎君(たろうくん) →

3. 例(れい)： → わたしは　佐藤(さとう)さんに　傘(かさ)を　貸(か)して　もらいました。
　　　　→ 佐藤(さとう)さんは　わたしに　傘(かさ)を　貸(か)して　くれました。

　1）→　　2）→　　3）→　　4）→
　　→　　　→　　　→　　　→

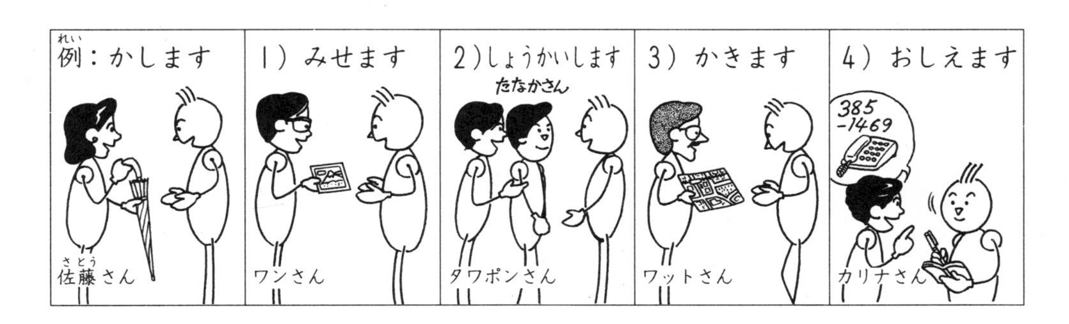

4.　例：　日本語を　教えます（小林先生）

→　だれに　日本語を　教えて　もらいましたか。

……小林先生に　教えて　もらいました。

1）　本を　貸します（佐藤さん）→

2）　コピーを　手伝います（山田さん）→

3）　京都を　案内します（木村さん）→

4）　すき焼きを　作ります（松本さん）→

5.　例：　お金を　払います（山田さん）

→　だれが　お金を　払って　くれましたか。

……山田さんが　払って　くれました。

1）　セーターを　送ります（母）→

2）　大阪城へ　連れて　行きます（会社の　人）→

3）　駅まで　送ります（友達）→

4）　写真を　撮ります（サントスさん）→

練習(れんしゅう) C

1. A： すてきな ①かばんですね。
   B： ありがとう ございます。
   ②大学(だいがく)に 入(はい)った とき、 ③姉(あね)が くれました。

   1） ① スーツ
   ② 大学(だいがく)を 出(で)ました ③ 母(はは)

   2） ① ネクタイ
   ② 会社(かいしゃ)に 入(はい)りました ③ 兄(あに)

   3） ① 時計(とけい)
   ② 結婚(けっこん)しました ③ 父(ちち)

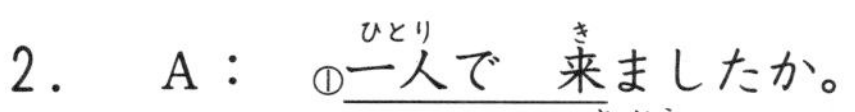

2. A： ①一人(ひとり)で 来(き)ましたか。
   B： いいえ。 佐藤(さとう)さんに ②連(つ)れて 来(き)て もらいました。
   A： そうですか。

   1） ① 電車(でんしゃ)で 来(き)ます
   ② 車(くるま)で 送(おく)ります

   2） ① 使(つか)い方(かた)が すぐ わかります
   ② 説明(せつめい)します

   3） ① 全部(ぜんぶ) 一人(ひとり)で します
   ② 手伝(てつだ)います

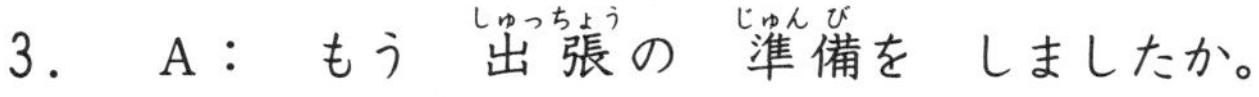

3. A： もう 出張(しゅっちょう)の 準備(じゅんび)を しましたか。
   B： はい。
   A： ①資料(しりょう)は？
   B： 佐藤(さとう)さんが ②コピーして くれました。

   1） ① 新幹線(しんかんせん)の 切符(きっぷ)
   ② 買(か)いに 行(い)きます

   2） ① 荷物(にもつ)
   ② 送(おく)ります

   3） ① ホテル
   ② 予約(よやく)します

24

問題(もんだい)

1.
1）＿＿＿＿＿＿＿＿＿＿＿＿＿＿＿＿＿＿＿＿
2）＿＿＿＿＿＿＿＿＿＿＿＿＿＿＿＿＿＿＿＿
3）＿＿＿＿＿＿＿＿＿＿＿＿＿＿＿＿＿＿＿＿
4）＿＿＿＿＿＿＿＿＿＿＿＿＿＿＿＿＿＿＿＿
5）＿＿＿＿＿＿＿＿＿＿＿＿＿＿＿＿＿＿＿＿

2. 1）（　　）　2）（　　）　3）（　　）　4）（　　）　5）（　　）

3. 例(れい)：　太郎君(たろうくん)は　テレサちゃんに　花(はな)を　（あげました、くれました）。 ［あげました is circled］

1）　ワットさんは　わたしに　英語(えいご)の　辞書(じしょ)を　（あげました、くれました）。

2）　わたしは　カリナさんに　大学(だいがく)を　案内(あんない)して　（くれました、もらいました）。

3）　休(やす)みの　日(ひ)　夫(おっと)は　よく　料理(りょうり)を　作(つく)って　（あげます、くれます）。

4）　駅(えき)で　友達(ともだち)に　細(こま)かい　お金(かね)を　貸(か)して　（もらいました、くれました）。

4. 例(れい)：　ミラー：　すみません。　塩(しお)を　取(と)って　ください。
わたし：　はい、どうぞ。

→　わたしは　ミラーさんに　塩(しお)を　取(と)って　あげました。　（ ○ ）

1）　グプタ：　あ、細(こま)かい　お金(かね)が　ない。
わたし：　グプタさん。　この　テレホンカードを　使(つか)って　ください。
グプタ：　すみません。

→　わたしは　グプタさんに　テレホンカードを　貸(か)して　あげました。
（　　）

2）　男の　人：　重いでしょう？　持ちましょうか。
　　わたし　：　ありがとう　ございます。

　　→　男の　人は　わたしの　荷物を　持って　くれました。　（　　）

3）　（エレベーターで）
　　ミラー：　すみません。　6階　お願いします。
　　わたし：　はい。

　　→　わたしは　ミラーさんに　エレベーターの　ボタンを　押して
　　　　もらいました。　（　　）

5．　例：　わたしは　ミラーさん（　に　）　チョコレートを　あげました。

1）　父は　誕生日に　時計（　　）　くれました。
2）　だれ（　　）　引っ越しを　手伝って　くれますか。
　　……カリナさん（　　）　手伝って　くれます。
3）　わたしは　山田さん（　　）　駅まで　送って　もらいました。
4）　わたしは　彼（　　）　旅行の　本を　送って　あげました。

6．

僕の　おばあちゃん

　僕の　おばあちゃんは　88歳で、元気です。　一人で　住んで　います。天気が　いい　とき、おばあちゃんは　病院へ　友達に　会いに　行きます。病院に　友達が　たくさん　いますから。　天気が　悪い　とき、足の　調子が　よくないですから、出かけません。

　おばあちゃんが　僕の　うちへ　来た　とき、僕は　学校で　習った　歌を　歌って　あげます。　おばあちゃんは　僕に　古い　日本の　お話を　して　くれます。　そして　パンや　お菓子を　作って　くれます。

　おばあちゃんが　うちへ　来ると、うちの　中が　とても　にぎやかに　なります。

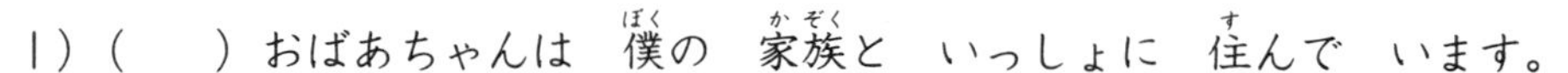

1）（　　）おばあちゃんは　僕の　家族と　いっしょに　住んで　います。
2）（　　）おばあちゃんは　足の　調子が　悪い　とき、病院へ　行きます。
3）（　　）おばあちゃんは　僕に　日本の　古い　歌を　歌って　くれます。
4）（　　）僕は　おばあちゃんが　好きです。

第25課

文型

1. 雨が　降ったら、出かけません。
2. 雨が　降っても、出かけます。

例文

1. もし　1億円　あったら、何を　したいですか。
   …コンピューターソフトの　会社を　作りたいです。

2. 約束の　時間に　友達が　来なかったら、どう　しますか。
   …すぐ　帰ります。

3. あの　新しい　靴屋は　いい　靴が　たくさん　ありますよ。
   …そうですか。　安かったら、買いたいです。

4. あしたまでに　レポートを　出さなければ　なりませんか。
   …いいえ。　無理だったら、金曜日に　出して　ください。

5. もう　子どもの　名前を　考えましたか。
   …ええ、男の　子だったら、「ひかる」です。
   　女の　子だったら、「あや」です。

6. 大学を　出たら、すぐ　働きますか。
   …いいえ、1年ぐらい　いろいろな　国を　旅行したいです。

7. 先生、この　ことばの　意味が　わかりません。
   …辞書を　見ましたか。
   ええ。　見ても、わかりません。

8. 日本人は　グループ旅行が　好きですね。
   …ええ、安いですから。
   いくら　安くても、わたしは　グループ旅行が　嫌いです。

会話

いろいろ　お世話に　なりました

山　田：　転勤、おめでとう　ございます。

ミラー　：　ありがとう　ございます。

木　村：　ミラーさんが　東京へ　行ったら、寂しく　なりますね。
　　　　　東京へ　行っても、大阪の　ことを　忘れないで
　　　　　くださいね。

ミラー　：　もちろん。　木村さん、暇が　あったら、ぜひ　東京へ
　　　　　遊びに　来て　ください。

サントス：　ミラーさんも　大阪へ　来たら、電話を　ください。
　　　　　一杯　飲みましょう。

ミラー　：　ええ、ぜひ。
　　　　　皆さん、ほんとうに　いろいろ　お世話に　なりました。

佐　藤：　体に　気を　つけて、頑張って　ください。

ミラー　：　はい、頑張ります。　皆さんも　どうぞ　お元気で。

練習(れんしゅう)　A

1.

のみます	のん	だ	ら	のん	で	も
まちます	まっ	た	ら	まっ	て	も
たべます	たべ	た	ら	たべ	て	も
みます	み	た	ら	み	て	も
きます	き	た	ら	き	て	も
します	し	た	ら	し	て	も
あついです	あつ	かった	ら	あつ	くて	も
いいです	よ	かった	ら	よ	くて	も
すきです	すき	だった	ら	すき	で	も
かんたんです	かんたん	だった	ら	かんたん	で	も
びょうきです	びょうき	だった	ら	びょうき	で	も
あめです	あめ	だった	ら	あめ	で	も

2.

雨(あめ)が	ふった	ら、	行(い)きません。
時間(じかん)が	なかった		映画(えいが)を　見(み)ません。
	やすかった		あの　店(みせ)で　買(か)います。
	ひまだった		遊(あそ)びに　行(い)きます。
	いい　てんきだった		散歩(さんぽ)します。

3.

10時(じ)に	なった	ら、	出(で)かけましょう。
うちへ	かえった		すぐ　シャワーを　浴(あ)びます。
会社(かいしゃ)を	やめた		田舎(いなか)に　住(す)みたいです。

4.

いくら	かんがえて	も、	わかりません。
お金(かね)が	なくて		毎日(まいにち)　楽(たの)しいです。
	たかくて		この　うちを　買(か)いたいです。
	べんりで		カードは　使(つか)いません。
	にちようびで		働(はたら)きます。

練習　B

1.　例：　お金が　あります・パソコンを　買いたいです
　　　→　お金が　あったら、パソコンを　買いたいです。
　1）　駅まで　歩きます・30分　かかります　→
　2）　この　薬を　飲みます・元気に　なります　→
　3）　バスが　来ません・タクシーで　行きます　→
　4）　意見が　ありません・終わりましょう　→

2.　例1：　安いです・パソコンを　買います
　　　→　安かったら、パソコンを　買います。
　例2：　雨です・出かけません　→　雨だったら、出かけません。
　1）　駅が　近いです・便利です　→
　2）　寒いです・エアコンを　つけて　ください　→
　3）　使い方が　簡単です・買います　→
　4）　速達です・あした　着きます　→

3.　例1：　ワープロが　故障します・どう　しますか
　　　→　ワープロが　故障したら、どう　しますか。
　　　……電気屋へ　持って　行きます。
　例2：　日曜日　天気が　悪いです・何を　しますか
　　　→　日曜日　天気が　悪かったら、何を　しますか。
　　　……うちで　音楽を　聞きます。
　1）　パスポートを　なくします・どう　しますか　→
　2）　細かい　お金が　ありません・どう　しますか　→
　3）　日曜日　いい　天気です・何を　しますか　→
　4）　休みを　1か月　もらいます・何を　しますか　→

4.　例：　昼ごはんを　食べます・映画を　見に　行きませんか
　　　→　昼ごはんを　食べたら、映画を　見に　行きませんか。
1）　駅に　着きます・電話を　ください　→
2）　仕事が　終わります・飲みに　行きましょう　→
3）　18歳に　なります・アメリカへ　留学します　→
4）　会社を　やめます・本を　書きたいです　→

5.　例：　覚えます・すぐ　忘れます　→　覚えても、すぐ　忘れます。
1）　考えます・わかりません　→
2）　練習を　します・上手に　なりません　→
3）　年を　取ります・働きたいです　→
4）　結婚します・名前を　変えません　→

6.　例1：　安いです・買いません　→　安くても、買いません。
例2：　嫌いです・食べます　→　嫌いでも、食べます。
1）　眠いです・レポートを　書かなければ　なりません　→
2）　高いです・日本の　車が　欲しいです　→
3）　病気です・病院へ　行きません　→
4）　歌が　下手です・カラオケは　楽しいです　→

7.　例1：　デザインが　よかったら、買いますか。（はい）
　　　→　はい、デザインが　よかったら、買います。
例2：　安かったら、買いますか。（いいえ）
　　　→　いいえ、安くても、買いません。
1）　年を　取ったら、田舎に　住みたいですか。（いいえ）　→
2）　この　本を　読んだら、日本人の　考え方が　わかりますか。（はい）　→
3）　チャンスが　あったら、留学したいですか。（はい）　→
4）　お酒を　飲んだら、楽しく　なりますか。（いいえ）　→

練習(れんしゅう) C

1. A： あした ①時間(じかん)が あったら、②お酒(さけ)を 飲(の)みに 行(い)きませんか。
   B： いいですね。 どこへ 行(い)きますか。
   A： 神戸(こうべ)に いい 所(ところ)が ありますよ。

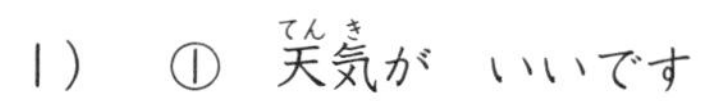

1） ① 天気(てんき)が いいです
    ② ゴルフを します
2） ① 暇(ひま)です
    ② ジャズを 聞(き)きます
3） ① 仕事(しごと)が 早(はや)く 終(お)わります
    ② フランス料理(りょうり)を 食(た)べます

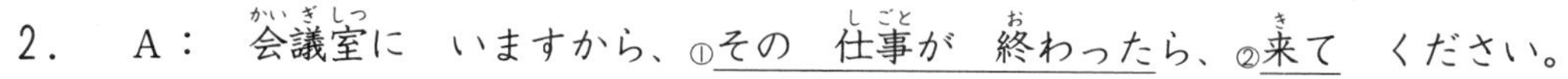

2. A： 会議室(かいぎしつ)に いますから、①その 仕事(しごと)が 終(お)わったら、②来(き)て ください。
   B： はい、わかりました。

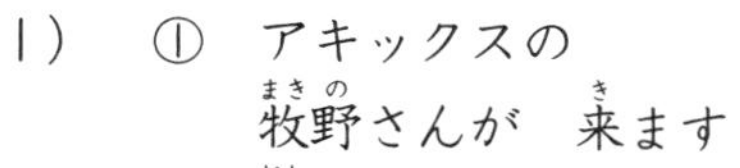

1） ① アキックスの
       牧野(まきの)さんが 来(き)ます
    ② 教(おし)えます
2） ① 資料(しりょう)を コピーします
    ② 持(も)って 来(き)ます
3） ① グプタさんから
       電話(でんわ)が あります
    ② 呼(よ)びます

3. A： 来週(らいしゅう)の ①サッカーの 試合(しあい)、②雨(あめ)でも、ありますか。
   B： いいえ、②雨(あめ)だったら、ありません。
   A： そうですか。

1） ① お花見(はなみ)
    ② 天気(てんき)が 悪(わる)いです
2） ① テニスの 試合(しあい)
    ② 雨(あめ)が 降(ふ)ります
3） ① スキー旅行(りょこう)
    ② 雪(ゆき)が 少(すく)ないです

25

問題

1\. 1）＿＿＿＿＿＿＿＿＿＿
2）＿＿＿＿＿＿＿＿＿＿
3）＿＿＿＿＿＿＿＿＿＿
4）＿＿＿＿＿＿＿＿＿＿
5）＿＿＿＿＿＿＿＿＿＿

2\. 1）（　　） 2）（　　） 3）（　　） 4）（　　） 5）（　　）

3\. 例：雨が　（降ります→　降った　）ら、出かけません。
1）毎日　日本語を　（使います→　　　　）ら、上手に　なります。
2）バスが　（来ません→　　　　）ら、タクシーで　行きましょう。
3）月曜日が　（無理です→　　　　）ら、火曜日に　レポートを　出して　ください。
4）日曜日　天気が　（いいです→　　　　）ら、ゴルフに　行きませんか。
5）いくら　（考えます→　　　　）も、わかりません。
6）パソコンは　高いですから、（便利です→　　　　）も、買いません。

4\. 例：時間が　あったら、（ d ）　a．エアコンを　つけて　ください。
1）お金が　あっても、（　　）　b．洗濯しなければ　なりません。
2）暑かったら、（　　）　c．何も　買いません。
3）仕事が　忙しくても、（　　）　d．遊びに　行きましょう。
4）いい　会社だったら、（　　）　e．毎晩　日本語を　勉強します。
5）雨でも、（　　）　f．入りたいです。

5\. 例：いつ　旅行に　行きますか。（夏休みに　なります　）
……夏休みに　なったら、すぐ　行きます。
1）何時に　パワー電気へ　行きますか。（会議が　終わります　）
……＿＿＿＿＿＿＿＿＿＿。

25

2）　いつ　結婚したいですか。（　大学を　出ます　）

……＿＿＿＿＿＿＿＿＿＿＿＿＿＿＿＿＿＿＿＿＿＿＿＿＿＿＿＿。

3）　何時ごろ　出かけましょうか。（　昼ごはんを　食べます　）

……＿＿＿＿＿＿＿＿＿＿＿＿＿＿＿＿＿＿＿＿＿＿＿＿＿＿＿＿。

4）　いつごろ　新しい　仕事を　始めますか。（　国へ　帰ります　）

……＿＿＿＿＿＿＿＿＿＿＿＿＿＿＿＿＿＿＿＿＿＿＿＿＿＿＿＿。

6.

わたしが　欲しい　物

いろいろな　人に　いちばん　欲しい　物を　聞きました。

①「時間」です。　会社へ　行って、働いて、うちへ　帰ったら、1日が　終わります。　1日が　短いです。　1日　36時間ぐらい　欲しいです。

（女の　人、25歳）

②「僕の　銀行」が　欲しいです。　銀行を　持って　いたら、好きな　とき、お金を　出して、好きな　物を　買う　ことが　できます。

（男の　子、10歳）

③「若く　なる　薬」です。　わたしは　若い　とき、あまり　勉強しませんでした。　もう　一度　若く　なったら、頑張って、勉強して、いい　仕事を　したいです。

（女の　人、60歳）

④「ユーモア」が　欲しいです。　わたしが　話を　すると、妻は　すぐ「あしたも　忙しいでしょう？　早く　寝て　ください。」と　言います。　子どもは　「お父さん、その　話は　もう　3回ぐらい　聞いたよ。」と　言います。　わたしは　おもしろい　人に　なりたいです。

（男の　人、43歳）

⑤「わたし」が　もう　1人　欲しいです。　わたしは　毎日　学校で　勉強しなければ　なりません。　「わたし」が　2人　いたら、1人が　学校で　勉強して　いる　とき、もう　1人の　「わたし」は　好きな　ことが　できます。　わたしは　2人に　なりたいです。

（女の　子、14歳）

1）（　　）①の　女の　人は　暇な　時間が　あまり　ありません。

2）（　　）②の　男の　子は　今　お金が　たくさん　あります。

3）（　　）③の　女の　人は　若い　とき、勉強しませんでした。

4）（　　）④の　男の　人と　話しても、おもしろくないです。

5）（　　）⑤の　女の　子は　2人に　なったら、いっしょに　学校へ　行きます。

復習　E

1.　例：　お元気ですか。

……（a．はい、そうです。　ⓑ．はい、元気です。　c．はい、どうぞ。）

1）　初めまして。　どうぞ　よろしく。

……（a．そろそろ　失礼します。　b．どう　いたしまして。
c．こちらこそ　よろしく。）

2）　これ、ほんの　気持ちです。　どうぞ。

……（a．どうぞ　よろしく　お願いします。　b．おめでとう
ございます。　c．ありがとう　ございます。）

3）　コーヒーは　いかがですか。

……（a．おかげさまで。　b．ごちそうさま。　c．いただきます。）

4）　どう　しましたか。

……（a．熱が　あります。　b．しかたが　ありません。
c．いろいろ　お世話に　なりました。）

5）　ただいま。

……（a．お帰りなさい。　b．しばらくですね。　c．こんにちは。）

6）　もう　一杯　いかがですか。

……（a．いいえ、違います。　b．いいえ、けっこうです。
c．いいえ、嫌いです。）

7）　行って　いらっしゃい。

……（a．いらっしゃいませ。　b．行って　まいります。
c．ごめん　ください。）

8）　あしたは　試合です。

……（a．じゃ、また　あした。　b．疲れましたね。
c．頑張って　ください。）

9）　熱が　ありますから、きょうは　早く　帰ります。

……そうですか。　（a．お大事に。　b．おかげさまで。
c．お帰りなさい。）

10）　木村さんは　パーティーに　来ません。

……そうですか。　（a．いいですね。　b．大変ですね。
c．残念ですね。）

11）　来月　結婚します。

……（a．よろしく　お願いします。　b．ありがとう　ございます。
c．おめでとう　ございます。）

12）　あした　国へ　帰ります。

……そうですか。　（a．どうぞ　よろしく。　b．どうぞ　お元気で。

c．はい、どうぞ。)

2．　例：　ちょっと　(待ちます→　待って　)　ください。

1)　(散歩します→　　　　)　とき、いつも　カメラを　持って　行きます。
2)　(暇です→　　　　)　とき、ビデオを　見ます。
3)　夫が　(病気です→　　　　)　とき、会社を　休みます。
4)　この　つまみを　右へ　(回します→　　　　)と、音が　大きく　なります。
5)　カリナさんに　引っ越しを　(手伝います→　　　　)　もらいました。
6)　山田さんが　駅まで　迎えに　(来ます→　　　　)　くれました。
7)　おじいさんに　ファクスの　使い方を　(教えます→　　　　)　あげました。
8)　お金が　(あります→　　　　)ら、世界の　いろいろな　所を　旅行したいです。
9)　あした　荷物が　(着きません→　　　　)ら、電話を　ください。
10)　(暑いです→　　　　)ら、エアコンを　つけても　いいです。
11)　あした　(雨です→　　　　)ら、お祭りは　ありません。
12)　いくら　(考えます→　　　　)も、思い出す　ことが　できません。
13)　(忙しいです→　　　　)も、新聞は　毎日　読みます。
14)　(嫌いです→　　　　)も、野菜は　食べなければ　なりません。
15)　わたしは　(日曜日です→　　　　)も、早く　起きます。

3．　例：　頭が　(ⓐ．痛くても　b．痛かったら)、勉強します。

1)　みんなで　ビールを　(a．飲む　b．飲んだ)　とき、「乾杯」と　言います。
2)　夜　(a．寝る　b．寝た)　とき、ちょっと　お酒を　飲みます。
3)　タクシーに　(a．乗る　b．乗った)　お金が　ありませんでしたから、バスで　帰りました。
4)　右へ　曲がると、(a．郵便局へ　行きます　b．郵便局が　あります)。
5)　すてきな　シャツですね。
……これですか。誕生日に　母が　(a．あげました　b．くれました)。
6)　先週の　土曜日　田中さんに　大阪城へ　連れて　行って　(a．くれました　b．もらいました)。
7)　昼ごはんを　(a．食べた　とき　b．食べたら)、すぐ　出かけます。

E

助詞（じょし）

1．〔は〕

A：1）わたしは マイク・ミラーです。　(第（だい）1課（か）)

2）わたしは 朝（あさ） 6時（じ）に 起（お）きます。　(4)

3）桜（さくら）は きれいです。　(8)

B：1）ニューヨークは 今（いま） 何時（なんじ）ですか。　(4)

2）日曜日（にちようび）は 友達（ともだち）と 奈良（なら）へ 行（い）きました。　(6)

3）東京（とうきょう）ディズニーランドは 千葉県（ちばけん）に あります。　(10)

4）資料（しりょう）は ファクスで 送（おく）って ください。　(17)

2．〔も〕

A：1）マリアさんも ブラジル人（じん）です。　(1)

2）この 荷物（にもつ）も お願（ねが）いします。　(11)

3）どちらも 好（す）きです。　(12)

4）何回（なんかい）も ダイエットを した ことが あります。　(19)

B：1）どこ[へ]も 行（い）きませんでした。　(5)

2）何（なに）も 食（た）べませんでした。　(6)

3）だれも いませんでした。　(10)

3．〔の〕

A：1）あの 人（ひと）は IMCの ミラーさんです。　(1)

2）これは コンピューターの 本（ほん）です。　(2)

3）それは わたしの 傘（かさ）です。　(2)

4）これは 日本（にほん）の 自動車（じどうしゃ）です。　(3)

5）きのうの 晩（ばん） 勉強（べんきょう）しましたか。　(4)

6）日本語（にほんご）の 勉強（べんきょう）は どうですか。　(8)

7）机（つくえ）の 上（うえ）に 写真（しゃしん）が あります。　(10)

8）この 漢字（かんじ）の 読（よ）み方（かた）を 教（おし）えて ください。　(14)

9）インドネシアの バンドンから 来（き）ました。　(16)

B：1）この かばんは 佐藤（さとう）さんのです。　(2)

2）これは どこの カメラですか。

…日本（にほん）のです。　(3)

C：もう 少（すこ）し 大（おお）きいのは ありませんか。　(14)

4．〔を〕

A：1）わたしは ジュースを 飲（の）みます。　(6)

2） 1週間 旅行を します。 (11)

3） 2時に 子どもを 迎えに 行きます。 (13)

B： 1） きのう 会社を 休みました。 (11)

2） 毎朝 8時に うちを 出ます。 (13)

3） 京都で 電車を 降ります。 (16)

C： 1） 毎朝 公園を 散歩します。 (13)

2） あの 信号を 渡って ください。 (23)

3） この 道を まっすぐ 行くと、駅が あります。 (23)

5． 〔が〕

A： 1） わたしは イタリア料理が 好きです。 (9)

2） ミラーさんは 料理が 上手です。 (9)

3） わたしは 日本語が 少し わかります。 (9)

4） 細かい お金が ありますか。 (9)

5） わたしは 子どもが 2人 います。 (11)

6） わたしは パソコンが 欲しいです。 (13)

7） スキーが できますか。 (18)

8） わたしは テープレコーダーが 要ります。 (20)

B： 1） あそこに 男の 人が います。 (10)

2） 机の 上に 写真が あります。 (10)

3） 来月 京都で お祭りが あります。 (21)

C： 1） 東京は 人が 多いです。 (12)

2） サントスさんは 背が 高いです。 (16)

3） わたしは のどが 痛いです。 (17)

D： 1） バスと 電車と どちらが 速いですか。
…電車の ほうが 速いです。 (12)

2） スポーツで 野球が いちばん おもしろいです。 (12)

E： 1） 雨が 降って います。 (14)

2） これに 触ると、水が 出ます。 (23)

3） 音が 小さいです。 (23)

F： 1） コンサートが 終わってから、食事に 行きます。 (16)

2） 約束の 時間に 友達が 来なかったら、どう しますか。 (25)

3） 妻が 病気の とき、会社を 休みます。 (23)

4） カリナさんが かいた 絵は どれですか。 (22)

G： 1） 佐藤さんが ワインを くれました。 (24)

2） だれが お金を 払って くれましたか。 (24)

6．〔に〕

A：　1）　わたしは　朝　6時に　起きます。　(4)

　　2）　3月25日に　日本へ　来ました。　(5)

B：　1）　わたしは　木村さんに　花を　あげました。　(7)

　　2）　家族と　友達に　クリスマスカードを　書きます。　(7)

C：　1）　わたしは　サントスさんに　お土産を　もらいました。　(7)

　　2）　わたしは　会社の　人に　本を　借りました。　(7)

D：　1）　机の　上に　写真が　あります。　(10)

　　2）　家族は　ニューヨークに　います。　(10)

　　3）　マリアさんは　大阪に　住んで　います。　(15)

E：　1）　あした　友達に　会います。　(6)

　　2）　もう　日本の　生活に　慣れましたか。　(8)

　　3）　あの　喫茶店に　入りましょう。　(13)

　　4）　ここに　座って　ください。　(15)

　　5）　梅田から　電車に　乗ります。　(16)

　　6）　ここに　名前を　書いて　ください。　(14)

　　7）　これに　触ると、水が　出ます。　(23)

F：　　1週間に　1回　テニスを　します。　(11)

G：　1）　日本へ　経済の　勉強に　来ました。　(13)

　　2）　京都へ　花見に　行きます。　(13)

H：　　テレサちゃんは　10歳に　なりました。　(19)

7．〔へ〕

1）　友達と　京都へ　行きます。　(5)

2）　フランスへ　料理を　習いに　行きます。　(13)

3）　あの　信号を　右へ　曲がって　ください。　(14)

8．〔で〕

A：　1）　タクシーで　うちへ　帰ります。　(5)

　　2）　ファクスで　資料を　送ります。　(7)

　　3）　日本語で　レポートを　書きますか。　(7)

B：　1）　駅で　新聞を　買います。　(6)

　　2）　7月に　京都で　お祭りが　あります。　(21)

C：　　わたしは　1年で　夏が　いちばん　好きです。　(12)

9．〔と〕

A：　1）　わたしは　家族と　日本へ　来ました。　(5)

2）　佐藤さんは　会議室で　部長と　話して　います。　(14)

B：　1）　休みは　土曜日と　日曜日です。　(4)

2）　本屋は　花屋と　スーパーの　間に　あります。　(10)

3）　サッカーと　野球と　どちらが　おもしろいですか。　(12)

C：　1）　あした　雨が　降ると　思います。　(21)

2）　首相は　来月　アメリカへ　行くと　言いました。　(21)

10.　〔や〕

箱の　中に　古い　手紙や　写真が　あります。　(10)

11.　〔から〕〔まで〕

A：　1）　わたしは　9時から　5時まで　働きます。　(4)

2）　銀行は　9時から　3時までです。　(4)

3）　きのう　10時まで　働きました。　(4)

B：　1）　チリソースは　下から　2段目です。　(10)

2）　わたしの　国から　日本まで　飛行機で　4時間
かかります。　(11)

3）　駅まで　迎えに　行きましょうか。　(14)

12.　〔までに〕

土曜日までに　本を　返さなければ　なりません。　(17)

13.　〔より〕

中国は　日本より　大きいです。　(12)

14.　〔でも〕

ちょっと　ビールでも　飲みませんか。　(21)

15.　〔か〕

A：　1）　サントスさんは　ブラジル人ですか。　(1)

2）　それは　シャープペンシルですか、ボールペンですか。　(2)

3）　いっしょに　映画を　見ませんか。　(6)

B：　すみません。　ユニューヤ・ストアは　どこですか。
…ユニューヤ・ストアですか。　あの　ビルの　中です。　(10)

C：　この　傘は　あなたのですか。
…いいえ、違います。　シュミットさんのです。
そうですか。　(2)

16.　〔ね〕

1）　きのうも　12時まで　勉強しました。
…大変ですね。　（4）

2）　その　スプーン、すてきですね。　（7）

3）　えーと、871の　6813です。
…871の　6813ですね。　（4）

4）　あそこに　男の　人が　いますね。　あの　人は
だれですか。　（10）

17.　〔よ〕

この　電車は　甲子園へ　行きますか。
…いいえ。　次の　「普通」ですよ。　（5）

フォームの　使い方

1.　[ます形]

ます形ませんか	いっしょに　お茶を　飲みませんか。	(第6課)
ます形ましょう	5時に　会いましょう。	(6)
ます形たいです	わたしは　カメラを　買いたいです。	(13)
ます形に　いきます	わたしは　映画を　見に　行きます。	(13)
ます形ましょうか	タクシーを　呼びましょうか。	(14)

2.　[て形]

て形　ください	すみませんが、ボールペンを　貸して　ください。	(14)
て形　います	佐藤さんは　今　ミラーさんと　話して　います。	(14)
	マリアさんは　大阪に　住んで　います。	(15)
て形も　いいです	たばこを　吸っても　いいですか。	(15)
て形は　いけません	美術館で　写真を　撮っては　いけません。	(15)
て形から、～	仕事が　終わってから、泳ぎに　行きます。	(16)
て形、て形、～	朝　ジョギングを　して、シャワーを　浴びて、会社へ　行きます。	(16)
て形　あげます	ミラーさんに　CD を　貸して　あげます。	(24)
て形　もらいます	佐藤さんに　大阪城へ　連れて　行って　もらいました。	(24)
て形　くれます	山田さんが　車で　送って　くれました。	(24)

3.　[ない形]

ない形ないで　ください	ここで　写真を　撮らないで　ください。	(17)
ない形なければ　なりません	パスポートを　見せなければ　なりません。	(17)
ない形なくても　いいです	靴を　脱がなくても　いいです。	(17)

4. [辞書形]

辞書形 ことが できます	わたしは ピアノを 弾く ことが できます。(18)
辞書形 ことです	趣味は 映画を 見る ことです。(18)
辞書形 まえに、～	寝る まえに、本を 読みます。(18)
辞書形と、～	右へ 曲がると、郵便局が あります。(23)

5. [た形]

た形 ことが あります	北海道へ 行った ことが あります。(19)
た形り、た形り します	休みの 日は テニスを したり、散歩に 行ったり します。(19)

6. [普通形]

普通形と おもいます	ミラーさんは もう 帰ったと 思います。(21) 日本は 物価が 高いと 思います。(21) 家族が いちばん 大切だと 思います。(21)
普通形と いいます	兄は 10時までに 帰ると 言いました。(21)
動詞・い形容詞 } 普通形 な形容詞・名詞 } 普通形 ～だ } でしょう？	あしたの パーティーに 行くでしょう？(21) 朝の ラッシュは すごいでしょう？(21) パソコンは 便利でしょう？(21) 彼は アメリカ人でしょう？(21)
動詞普通形 名詞	これは わたしが 作った ケーキです。(22)

7.

動詞普通形 い形容詞 な形容詞な 名詞の } とき、～	新聞を 読む とき、眼鏡を かけます。(23) 眠い とき、コーヒーを 飲みます。(23) 暇な とき、ビデオを 見ます。(23) 雨の とき、タクシーに 乗ります。(23)

8．普通形過去ら、～	パソコンが　あったら、便利です。	(25)
	パソコンが　安かったら、買います。	(25)
	使い方が　簡単だったら、買います。	(25)
	いい　天気だったら、散歩します。	(25)
9．動詞て形 ｝も、～	辞書を　見ても、意味が わかりません。	(25)
い形容詞　～くて ｝も、～	パソコンが　安くても、買いません。	(25)
な形容詞で ｝も、～	嫌いでも、食べなければ　なりません。	(25)
名詞で ｝も、～	彼は　日曜日でも、働きます。	(25)

副詞、副詞的 表現

1.	みんな	外国人の 先生は みんな アメリカ人です。	(第11課)
	ぜんぶ	宿題は 全部 終わりました。	(24)
	たくさん	仕事が たくさん あります。	(9)
	とても	ペキンは とても 寒いです。	(8)
	よく	ワンさんは 英語が よく わかります。	(9)
	だいたい	テレサちゃんは ひらがなが だいたい わかります。	(9)
	すこし	マリアさんは かたかなが 少し わかります。	(9)
	ちょっと	ちょっと 休みましょう。	(6)
	もう すこし	もう 少し 小さいのは ありませんか。	(14)
	もう	もう 1枚 コピーを して ください。	(14)
	ずっと	東京は ニューヨークより ずっと 人が 多いです。	(12)
	いちばん	日本料理で てんぷらが いちばん 好きです。	(12)
		ノートは あの 棚の いちばん 上です。	(10)
2.	いつも	いつも 大学の 食堂で 昼ごはんを 食べます。	(6)
	ときどき	時々 レストランで ごはんを 食べます。	(6)
	よく	ミラーさんは よく 喫茶店へ 行きます。	(22)
	はじめて	きのう 初めて おすしを 食べました。	(12)
	また	また あした 来て ください。	(14)
	もう いちど	もう 一度 お願いします。	(II)
3.	いま	今 2時10分です。	(4)
	すぐ	すぐ レポートを 送って ください。	(14)
	もう	もう 新幹線の 切符を 買いました。	(7)
		もう 8時ですね。	(8)
	まだ	もう 昼ごはんを 食べましたか。 …いいえ、まだです。	(7)
	これから	これから 昼ごはんを 食べます。	(7)
	そろそろ	そろそろ 失礼します。	(8)
	あとで	また あとで 来ます。	(14)
	まず	まず この ボタンを 押して ください。	(16)
	つぎに	次に カードを 入れて ください。	(16)
	さいきん	最近 日本は サッカーが 強く なりました。	(21)

4.	じぶんで	パーティーの　料理は　全部　自分で　作りました。	(24)
	ひとりで	一人で　病院へ　行きます。	(5)
	みんなで	あした　みんなで　京都へ　行きます。	(20)
	いっしょに	いっしょに　ビールを　飲みませんか。	(6)
	べつべつに	別々に　お願いします。	(13)
	ぜんぶで	全部で　500円です。	(11)
	ほかに	ほかに　だれが　手伝いに　行きますか。	(24)
	はやく	早く　うちへ　帰ります。	(9)
	ゆっくり	ゆっくり　話して　ください。	(14)
		きょうは　ゆっくり　休んで　ください。	(17)
	だんだん	これから　だんだん　暑く　なります。	(19)
	まっすぐ	まっすぐ　行って　ください。	(14)
5.	あまり	その　辞書は　あまり　よくないです。	(8)
	ぜんぜん	インドネシア語が　全然　わかりません。	(9)
	なかなか	日本では　なかなか　馬を　見る　ことが　できません。	(18)
	いちども	一度も　すしを　食べた　ことが　ありません。	(19)
	ぜひ	ぜひ　北海道へ　行きたいです。	(18)
	たぶん	ミラーさんは　たぶん　知らないと　思います。	(21)
	きっと	あしたは　きっと　いい　天気に　なると　思います。	(21)
	もし	もし　1億円　あったら、会社を　作りたいです。	(25)
	いくら	いくら　安くても、グループ旅行が　嫌いです。	(25)
6.	とくに	あの　映画で　特に　お父さんが　よかったです。	(15)
	じつは	実は　ダイエットを　して　います。	(19)
	ほんとうに	日本は　ほんとうに　食べ物が　高いと　思います。	(21)
	もちろん	試合は　もちろん　ブラジルが　勝つと　思います。	(21)

接続の　いろいろ

1. そして　　東京の　地下鉄は　きれいです。　そして　便利です。(第8課)

　〜で　　奈良は　静かで、きれいな　町です。　(16)

　〜くて　　この　パソコンは　軽くて、便利です。　(16)

　それから　　これ、速達で　お願いします。　それから　この荷物も　お願いします。　(11)

　〜たり　　休みの　日は　テニスを　したり、散歩に　行ったりします。　(19)

　〜が　　すみませんが、ボールペンを　貸して　ください。　(14)

2. それから　　日本語を　勉強しました。　それから　映画を見ました。　(6)

　〜てから　　コンサートが　終わってから、レストランで食事しました。　(16)

　〜て、〜て　　朝　ジョギングを　して、シャワーを　浴びて、会社へ行きます。　(16)

　〜まえに　　寝る　まえに、日記を　書きます。　(18)

　〜とき　　図書館で　本を　借りる　とき、カードが　要ります。　(23)

3. から　　時間が　ありませんから、どこも　行きません。　(9)

　ですから　　きょうは　妻の　誕生日です。　ですから　早く帰らなければ　なりません。　(17)

4. 〜が　　「七人の　侍」は　古いですが、おもしろい映画です。　(8)

　でも　　旅行は　おもしろかったです。　でも、疲れました。　(12)

　〜けど　　この　カレーは　辛いけど、おいしい。　(20)

　しかし　　ダンスは　体に　いいですから、あしたから　毎日練習します。
…しかし　無理な　練習は　体に　よくないですよ。　(19)

5．じゃ	これは　イタリアの　ワインです。	
	…じゃ、それを　ください。	(3)
〜と	この　ボタンを　押(お)すと、お釣(つ)りが　出(で)ます。	(23)
〜たら	雨(あめ)が　降(ふ)ったら、出(で)かけません。	(25)
6．〜ても	雨(あめ)が　降(ふ)っても、出(で)かけます。	(25)

索引（さくいん）

― う ―

― か・が ―

― き・ぎ ―

― く・ぐ ―

― け・げ ―

― こ・ご ―

― さ・ざ ―

― し・じ ―

― す・ず ―

— せ・ぜ —

— そ・ぞ —

— た・だ —

－ ち －

－ つ －

— な —

— に —

— ほ・ぼ・ぽ —

— ま —

— み —

―　む　―

―　め　―

―　も　―

―　や　―

―　ゆ　―

―　よ　―

執筆協力
　田中よね
　牧野昭子
　重川明美
　御子神慶子
　古賀千世子
　石井千尋

イラストレーション
　佐藤夏枝
　向井直子

みんなの日本語
初級Ⅰ　本冊

1998年3月16日　初版第1刷発行
2011年2月28日　第19刷発行

編著者　株式会社　スリーエーネットワーク
発行者　小林卓爾
発　行　株式会社　スリーエーネットワーク
〒101-0064 東京都千代田区猿楽町2-6-3(松栄ビル)
電話　営業　03（3292）5751
　　　編集　03（3292）6521
http://www.3anet.co.jp/
印　刷　倉敷印刷株式会社

ISBN978-4-88319-102-4　C0081

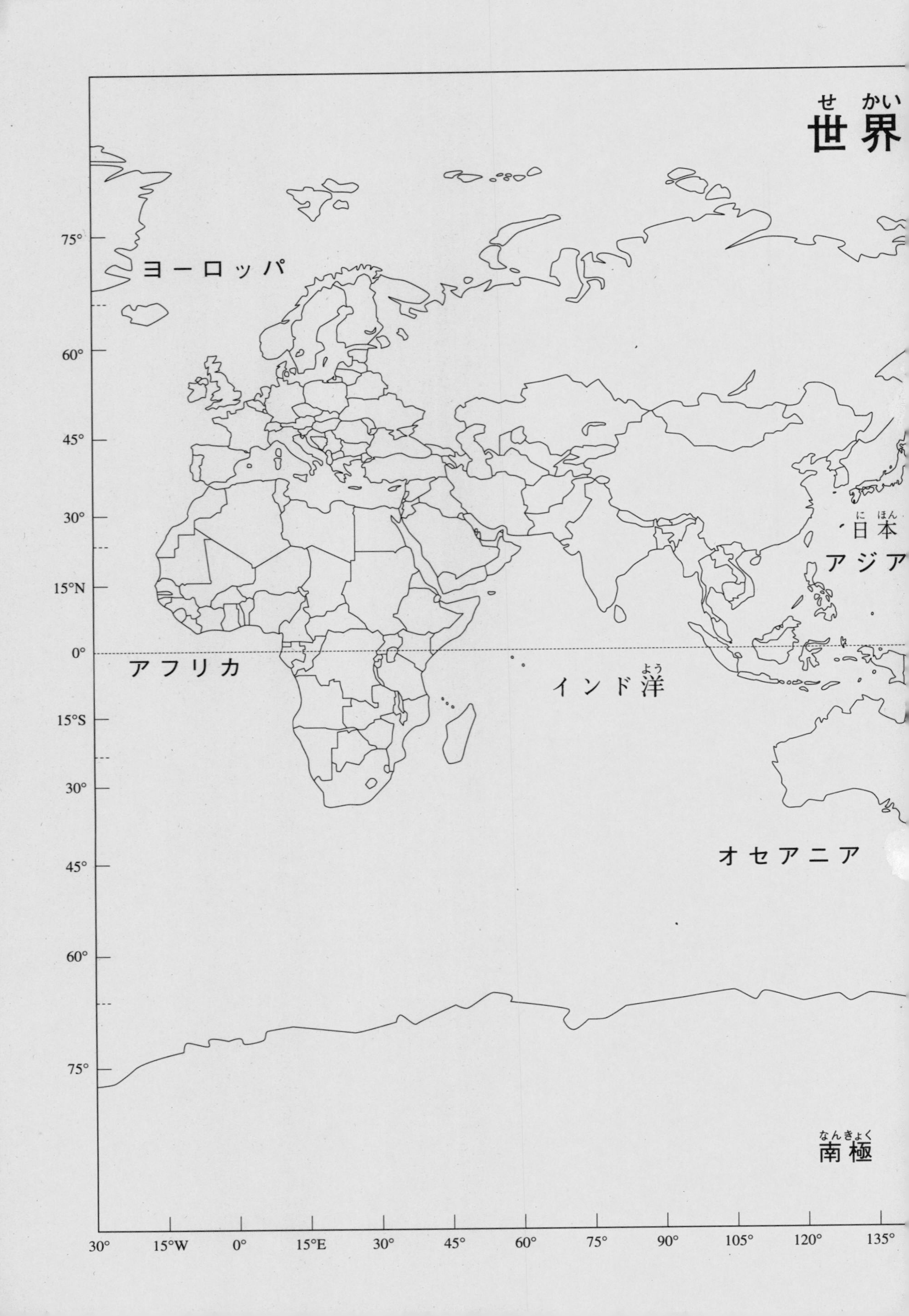

世界
ヨーロッパ
アフリカ
インド洋
日本
アジア
オセアニア
南極
75°
60°
45°
30°
15°N
0°
15°S
30°
45°
60°
75°
30°
15°W
0°
15°E
30°
45°
60°
75°
90°
105°
120°
135°

みんなの日本語
初級Ⅰ　本冊

—問題のスクリプト・答え—

—復習の答え—

スリーエーネットワーク

目次

ページ

第　1　課

1.　例：　あなたは先生ですか。
　　…例：　いいえ、わたしは先生じゃありません。

1）　あなたはサントスさんですか。
　　…例：　いいえ、サントスじゃありません。

2）　お名前は？
　　…例：　マイク・ミラーです。

3）　何歳ですか。
　　…例：　28歳です。

4）　アメリカ人ですか。
　　…例：　はい、アメリカ人です。

5）　エンジニアですか。
　　…例：　いいえ、エンジニアじゃありません。

2.　例：　男：　佐藤さん、おはようございます。
　　　　　女：　おはようございます。　（　②　）

1）　女：　皆さん、こちらはパワー電気のシュミットさんです。
　　男：　初めまして、シュミットです。
　　　　　どうぞよろしく。　（　①　）

2）　女：　お名前は？
　　男：　ワンです。
　　女：　アンさんですか。
　　男：　いいえ、ワンです。
　　女：　おいくつですか。
　　男：　29です。　（　③　）

3.　例1：女：　太郎君は何歳ですか。
　　　　　男：　8歳です。
　　　　　★　　太郎君は10歳です。　（　×　）

例2：女：　サントスさんは先生ですか。

男：　いいえ、先生じゃありません。会社員です。
★　　サントスさんは会社員です。　　　　　（　○　）

1）　男：　初めまして。わたしはミラーです。アメリカから来ました。
　　　　　どうぞよろしく。
　　女：　佐藤です。どうぞ、よろしく。
　　★　　ミラーさんはアメリカ人です。　　　　　（　○　）

2）　男：　あの方はどなたですか。
　　女：　カリナさんです。
　　男：　先生ですか。
　　女：　いいえ、富士大学の学生です。
　　★　　カリナさんは富士大学の先生です。　　　　　（　×　）

3）　男：　イーさんは研究者ですか。
　　女：　はい。
　　男：　シュミットさんも研究者ですか。
　　女：　いいえ、シュミットさんはエンジニアです。
　　★　　シュミットさんは研究者じゃありません。　　　　　（　○　）

4.　1）　ミラーさん　　2）　アメリカ人　　3）　アメリカ人
　　4）　どなた（だれ）　　5）　何歳（おいくつ）

5.　1）　は　　2）　は／か　　3）　の　　4）　も

6.　例：　マイク・ミラー　／　アメリカ

第 2 課

1\. 1） これは手帳ですか。
…はい、そうです

2） これはコンピューターですか、テープレコーダーですか。
…コンピューターです。

3） これは何ですか。
…名刺です。

4） これは何の雑誌ですか。
…自動車の雑誌です。

5） このかばんはあなたのですか。
…いいえ、わたしのじゃありません。

2\. 1）
女： はい。どなたですか。
男： 505のミラーです。
これからお世話になります。
どうぞよろしくお願いします。
女： 田中です。こちらこそよろしく。 （ ② ）

2）
男： あのう、これ、ほんの気持ちです。
女： え、何ですか。
男： チョコレートです。
女： どうもありがとうございます。 （ ① ）

3\. 1）
男： それは手帳ですか。
女： いいえ、違います。
男： 何ですか。
女： 辞書です。
★ これは手帳です。 （ × ）

2）
男： 木村さん、あの自動車はあなたのですか。
女： はい、そうです。わたしのです。
★ あの自動車は木村さんのです。 （ ○ ）

3） 男： それはコンピューターの雑誌ですか。
女： いいえ、カメラの雑誌です。
男： そうですか。
★ これはコンピューターの雑誌じゃありません。 （ ○ ）

4． 1） 何歳 2） 先生 3） 何 4） あなた

5． 1） それ 2） あれ 3） これ

6． 1） 新聞 2） 何 3） 何 4） だれ

7． 1） それはわたしのかぎです。 2） この辞書はミラーさんのです。
3） その傘はだれのですか。 4） あれは先生の机です。

8． 1） お世話になります
2） ほんの気持ちです／どうぞ／どうもありがとうございます

第 3 課

1\. 1） お国はどちらですか。
…例： イギリスです。

2） うちはどちらですか。
…例： 東京です。

3） あなたの時計はどこの時計ですか。
…例： 日本のです。

4） あなたのテープレコーダーは日本のですか。
…例： いいえ、日本のじゃありません。

5） あなたの時計はいくらですか。
…例： 16,500円です。

2\. 1）
男： エレベーターはどこですか。
女： あそこです。
男： 電話は？
女： 電話はそこです。
男： どうも。
★ 電話はあそこです。 （ × ）

2）
男： すみません。佐藤さんはどちらですか。
女： 佐藤さんは会議室です。
男： ミラーさんも会議室ですか。
女： はい、そうです。
男： どうも。
★ ミラーさんは会議室です。 （ ○ ）

3）
女： 会社はどちらですか。
男： パワー電気です。
女： 何の会社ですか。
男： コンピューターの会社です。
女： そうですか。
★ パワー電気はコンピューターの会社です。 （ ○ ）

4）　男：　すみません。時計売り場はどこですか。
　　　女：　8階です。
　　　男：　どうも。
　　　★　　時計売り場は1階です。　　　　　　　　　（　×　）

5）　男：　すみません。この時計はいくらですか。
　　　女：　23,600円です。
　　　男：　じゃ、これをください。
　　　★　　この時計は23,800円です。　　　　　　　（　×　）

3.　1）　そこ／会議室　　2）　あそこ／トイレ（お手洗い）
　　3）　ここ／食堂　　4）　あそこ／事務所　5）　そこ／教室

4.　1）　これ　　2）　その／わたしの　　3）　あそこ　　4）　どこ

5.　1）　どちら（どこ）　　2）　どこ（どちら）　　3）　何階（どこ）
　　4）　どちら　　5）　どちら（どこ）　　6）　何　　7）　どこ
　　8）　いくら

第 4 課

1. 1） 今何時ですか。
   …例： 10時です。
   2） あなたの国の銀行は何時から何時までですか。
   …例： 9時から3時までです。
   3） 毎日何時に起きますか。
   …例： 6時に起きます。
   4） きのう勉強しましたか。
   …例： はい、勉強しました。
   5） あなたのうちの電話番号は何番ですか。
   …例： 0790の31の1887です。

2. 1） 男： 今何時ですか。
   女： 4時半です。
   男： ロンドンは何時ですか。
   女： 午前7時半です。 （ ① ）

   2） 男： きのう何時に寝ましたか。
   女： 12時に寝ました。
   男： けさ何時に起きましたか。
   女： 6時半に起きました。 （ ③ ）

3. 1） 女： ミラーさん、きのう何時まで働きましたか。
   男： 10時まで働きました。
   女： きょうも10時まで働きますか。
   男： いいえ、5時に終わります。
   ★ ミラーさんはきょう10時まで働きます。 （ × ）

   2） 男： みどり図書館ですか。
   女： はい、そうです。
   男： すみません。休みは何曜日ですか。
   女： 月曜日です。
   男： どうも。

★　月曜日図書館は休みです。　（ ○ ）

3）　男：　カリナさん、大学は何時からですか。
　　女：　9時からです。
　　男：　何時に終わりますか。
　　女：　4時に終わります。
　　★　カリナさんは9時から5時まで勉強します。　（ × ）

4．　例：　今9時半です。(9:30)

1）　けさ7時半に起きました。(7:30)
2）　会社は朝8時20分からです。(午前8:20)
3）　毎日9時から6時まで働きます。(9:00～6:00)
4）　昼休みは12時15分から1時15分までです。(12:15～1:15)
5）　田中さんのうちの電話番号は349の7865です。(349-7865)
6）　美術館の電話番号は075の831の6697です。(075-831-6697)
7）　この本は3,650円です。(3,650)
8）　あのコンピューターは208,000円です。(208,000)

5．　1）×／に　2）から／まで　3）×　4）の　5）に　6）と

6．　1）何時　2）何番　3）何曜日　4）何歳（おいくつ）　5）何時

7．　1）寝ました　2）休みます　3）勉強しました　4）起きます
5）働きません

8．　1）休みました　2）働きません　3）勉強しませんでした　4）終わります

第(だい) 5 課(か)

1\. 1) 日曜日(にちようび)どこへ行(い)きますか。
…例(れい)： 京都(きょうと)へ 行(い)きます。

2) 何(なん)でスーパーへ行(い)きますか。
…例(れい)： 自動車(じどうしゃ)で行(い)きます。

3) だれとスーパーへ行(い)きますか。
…例(れい)： 一人(ひとり)で行(い)きます。

4) きのうどこへ行(い)きましたか。
…例(れい)： どこも行(い)きませんでした。

5) 誕生日(たんじょうび)は何月何日(なんがつなんにち)ですか。
…例(れい)： 4月6日(がつむいか)です。

2\. 1) 女(おんな)： ミラーさんは日曜日(にちようび)どこへ行(い)きましたか。
男(おとこ)： 奈良(なら)へ行(い)きました。佐藤(さとう)さんは？
女(おんな)： どこも行(い)きませんでした。 （ ② ）

2) 女(おんな)： きょうは何日(なんにち)ですか。
男(おとこ)： 4月8日(がつようか)です。
女(おんな)： 何曜日(なんようび)ですか。
男(おとこ)： 火曜日(かようび)です。 （ ① ）

3\. 1) 女(おんな)： ミラーさん、いつ名古屋(なごや)へ行(い)きますか。
男(おとこ)： あさって行(い)きます。
女(おんな)： 一人(ひとり)で行(い)きますか。
男(おとこ)： いいえ、山田(やまだ)さんと行(い)きます。
★ ミラーさんはあさって山田(やまだ)さんと名古屋(なごや)へ行(い)きます。 （ ○ ）

2) 男(おとこ)： イーさん、お国(くに)はどちらですか。
女(おんな)： 韓国(かんこく)です。
男(おとこ)： いつ日本(にほん)へ来(き)ましたか。
女(おんな)： 去年(きょねん)の6月(がつ)に来(き)ました。
★ イーさんは去年(きょねん)の9月(がつ)に中国(ちゅうごく)から来(き)ました。 （ × ）

3） 男： この電車は京都へ行きますか。
女： いいえ、行きません。次の「急行」ですよ。
男： そうですか。どうも。
★ 次の「急行」は京都へ行きます。 （ ○ ）

4. 1） いつ 2） だれ 3） どこ 4） いくら 5） 何
6） 何時 7） 何月／何日

5. 1） の／に／から 2） で／へ 3） に／へ 4） と／へ
5） も 6） で／へ

6. 1） 9時にうちへ帰りました 2） どこも行きません
3） 友達と美術館へ行きます
4） [一人で]松本さんのうちへ行きます
5） 家族と自動車で神戸へ行きました

第 6 課

1. 1) あなたはたばこを吸いますか。
   …例： いいえ、吸いません。

   2) 毎朝新聞を読みますか。
   …例： はい、読みます。

   3) けさ何を飲みましたか。
   …例： 紅茶を飲みました。

   4) あした何をしますか。
   …例： 京都へ行きます。

   5) いつもどこで昼ごはんを食べますか。
   …例： 会社の食堂で食べます。

2. 1) 女： 山田さんはお酒を飲みますか。
   男： はい、飲みます。
   女： いつもどこで飲みますか。
   男： うちで飲みます。
   ★ 山田さんはお酒を飲みません。 （ × ）

   2) 女： ミラーさん、けさ朝ごはんを食べましたか。
   男： はい、食べました。
   女： 何を食べましたか。
   男： パンと卵を食べました。
   ★ ミラーさんはけさパンと卵を食べました。 （ ○ ）

   3) 女： ミラーさん、土曜日は何をしましたか。
   男： 朝図書館で勉強しました。
   女： 午後は？
   男： 神戸で映画を見ました。
   ★ ミラーさんは土曜日の午後神戸で映画を見ました。 （ ○ ）

   4) 男： イーさん、きのうどこへ行きましたか。
   女： 京都へ行きました。
   男： 京都で何をしましたか。

女： 花見をしました。

★ イーさんはきのう京都で花見をしました。 （ ○ ）

5） 女： ミラーさん、日曜日いっしょにテニスをしませんか。

男： ええ、いいですね。

どこでしますか。

女： 大阪城公園でしましょう。

★ ミラーさんは日曜日大阪城公園へ行きます。 （ ○ ）

3． 1） と／コーヒーを飲みます　2） に／ごはんを食べます

3） で／ネクタイを買います　4） で／新聞を読みます

5） から／まで／テレビを見ます

4． 1） 何を　2） どこで　3） 何を　4） だれに

5． 1） 書きました　2） 読みますか　3） 行きませんか／行きましょう

4） します

6． 1） ×　2） ○　3） ×　4） ×

第 7 課

1\. 1) もう晩ごはんを食べましたか。

…例： はい、もう食べました。

2) 何でごはんを食べますか。

…例： はしで食べます。

3) 去年の誕生日にプレゼントをもらいましたか。

…例： はい、もらいました。

4) お母さんの誕生日に何をあげますか。

…例： 時計をあげます。

5) “Thank you” は日本語で何ですか。

…例： 「ありがとう」です。

2\. 1)

女： ミラーさん、コーヒーはいかがですか。
男： ありがとうございます。
女： どうぞ。
男： いただきます。

(②)

2)

女： そのネクタイ、すてきですね。
男： これですか。
誕生日に母にもらいました。
女： そうですか。

(①)

3\. 1)

男： カリナさん、もう昼ごはんを食べましたか。
女： いいえ、まだです。
男： じゃ、いっしょに食べませんか。
女： ええ。行きましょう。
★ カリナさんは一人で昼ごはんを食べます。

(×)

2） 女： ミラーさん、もう東京にレポートを送りましたか。
男： はい、もう送りました。
女： 何で送りましたか。
男： ファクスで送りました。
★ ミラーさんはファクスで東京にレポートを送りました。
（ ○ ）

3） 女： ミラーさん、その本はあなたのですか。
男： いいえ、図書館から借りました。
女： もう読みましたか。
男： いいえ、まだです。今晩読みます。
★ ミラーさんは図書館の本をもう読みました。 （ × ）

4． 1） 英語を教えます 2） 辞書を借ります（もらいます）
3） 荷物を送ります 4） 時計をもらいます 5） 電話をかけます

5． 1） で 2） で 3） で 4） に／を 5） に（から）／を

6． 1） まだです／行きます／行きませんか 2） [もう]書きました
3） まだです／送ります 4） [もう]寝ました

7． 1） ○ 2） × 3） × 4） ×

第8課

1\. 1) 家族は元気ですか。
…例： はい、元気です。

2) あなたの国は今暑いですか。
…例： はい、暑いです。

3) 仕事はおもしろいですか。
…例： はい、おもしろいです。

4) あなたの国はどんな国ですか。
…例： きれいな国です。

5) 日本語はどうですか。
…例： 易しいです。

2\. 1) 男： あのシャツはいくらですか。
女： どれですか。
男： あの白いシャツです。
女： あれは3,500円です。 （ ① ）

2) 男： きょうはどうもありがとうございました。
女： いいえ、またいらっしゃってください。
男： じゃ、お休みなさい。 （ ③ ）

3\. 1) 女： 暑いですね。
男： ええ。
女： 冷たいお茶はいかがですか。
男： ええ、ありがとうございます。
★ これから冷たいお茶を飲みます。 （ ○ ）

2) 男： カリナさん、あした何をしますか。
女： 友達と大阪城へ行きます。
男： そうですか。わたしは先週行きました。
女： どんな所ですか。
男： とてもきれいな所ですよ。そして、静かです。
★ 大阪城はきれいです。そして、にぎやかです。 （ × ）

3）　女：　もう日本の生活に慣れましたか。
　　　男：　ええ、毎日楽しいです。
　　　女：　日本の食べ物はどうですか。
　　　男：　そうですね。おいしいですが、高いです。
　　　★　　日本の食べ物はおいしいです。そして、安いです。　　（ × ）

4.　1）　忙しい　2）　古い　3）　易しい　4）　小さい

5.　1）　新しくないです　　2）　暑くないです
　　3）　静かじゃありません　　4）　便利じゃありません

6.　1）　新しい　2）　有名な　3）　おもしろい　4）　きれいな
　　5）　暑い

7.　1）　×　2）　×　3）　○　4）　×

第 9 課

1. 1） お母さんは料理が上手ですか。
   …例： はい、上手です。
   2） どんなスポーツが好きですか。
   …例： サッカーが好きです。
   3） 今晩約束がありますか。
   …例： いいえ、ありません。
   4） 漢字がわかりますか。
   …例： はい、少しわかります。
   5） どうして日本語を勉強しますか。
   …例： 日本の会社で働きますから。

2. 1） 女1： マリアさんのご主人はどんなスポーツが好きですか。
   女2： サッカーが好きです。
   女1： マリアさんは？
   女2： わたしはテニスが好きです。
   ★ マリアさんのご主人はテニスが好きです。 （ × ）

   2） 女： サントスさんは日本語が上手ですね。
   男： ありがとうございます。
   女： 漢字はどうですか。
   男： 少しわかりますが、難しいです。
   ★ サントスさんは漢字が全然わかりません。 （ × ）

   3） 女： ミラーさん、料理が上手ですね。
   男： うちでいつも作りましたから。
   女： だれに習いましたか。
   男： 母に習いました。
   ★ ミラーさんはお母さんに料理を習いました。 （ ○ ）

   4） 男： 木村さん、映画のチケットがあります。いっしょに行きませんか。
   女： いつですか。
   男： あしたです。

女：　すみません。あしたは約束がありますから、ちょっと……。
★　木村さんはあした暇ですから、映画を見ます。　（ × ）

5）女：　ビール、いかがですか。
男：　いいえ、けっこうです。
女：　ミラーさんはビールが嫌いですか。
男：　いいえ、好きですが、きょうは車で来ましたから。
女：　そうですか。
★　ミラーさんは車で来ましたから、ビールを飲みません。
（ ○ ）

3．　1）全然　2）たくさん　3）とても　4）よく

4．　1）どんな　2）どうして　3）どう　4）どれ

5．　1）が　2）が　3）が　4）から　5）が　6）が／から

6．　1）毎週します　2）熱いコーヒーを飲みます
3）何も買いません　4）銀行は休みです

7．　1）○　2）×　3）×　4）×

第 10 課

1\. 1） あなたは今どこにいますか。
…例： うちにいます。

2） あなたのうちに犬がいますか。
…例： いいえ、いません。

3） あなたの部屋に電話がありますか。
…例： いいえ、ありません。

4） 日本語の辞書はどこにありますか。
…例： 机の上にあります。

5） うちの近くに何がありますか。
…例： スーパーや図書館[など]があります。

2\. 1）
男： あのう、すみません。トイレはどこですか。
女： あそこに階段がありますね。
男： ええ。
女： お手洗いはあのうしろです。
男： どうも。 （ ① ）

2）
男： すみません。テープレコーダー、ありますか。
女： あの棚の上ですよ。
男： ありませんよ。
女： そうですか。…あ、あそこ。
男： え？
女： 電話の左です。
男： ああ、どうも。 （ ③ ）

3）
男： もしもし、佐藤さんですか。
女： はい。あ、ミラーさん。今どこにいますか。
男： 駅の前です。
女： そうですか。じゃ、今行きます。
男： はい。 （ ① ）

3\. 1） 男の子： こんにちは。

女(おんな)　：　あ、太郎君(たろうくん)。こんにちは。
男の子(おとこのこ)：　テレサちゃんはいますか。
女(おんな)　：　いいえ、テレサは公園(こうえん)へ行(い)きましたよ。
男の子(おとこのこ)：　そうですか。
★　　テレサちゃんは公園(こうえん)にいます。　（　○　）

2）　女(おんな)：　グプタさん、お国(くに)はどちらですか。
男(おとこ)：　インドです。
女(おんな)：　そうですか。家族(かぞく)といっしょに日本(にほん)へ来(き)ましたか。
男(おとこ)：　いいえ、一人(ひとり)で来(き)ました。家族(かぞく)は国(くに)にいます。
女(おんな)：　そうですか。
★　　グプタさんは家族(かぞく)と日本(にほん)へ来(き)ました。　（　×　）

4.　1）　あります　2）　います　3）　います
4）　ありません　5）　いません

5.　1）　に　2）　の／に　3）　は／と／の　4）　に／も　5）　や／が

6.　1）　何(なに)が　2）　だれが／だれも　3）　何(なに)を／何(なに)も
4）　どこへ／どこも

7.　③

第 11 課

1. 1) 家族は何人ですか。
…例： 4人です。

2) あなたのうちに部屋がいくつありますか。
…例： 4つあります。

3) あなたの国から日本まで飛行機で何時間かかりますか。
…例： 5時間かかります。

4) 今までどのくらい日本語を勉強しましたか。
…例： 2か月勉強しました。

5) 1か月に何回ぐらい映画を見ますか。
…例： 1回見ます。

2. 1) 女： 兄弟がいますか。
男： ええ、妹が1人います。学生です。 （ ② ）

2) 女： いらっしゃいませ。
男： コーヒーを2つ。それから、アイスクリームを1つお願いします。
女： かしこまりました。 （ ② ）

3. 1) 女： 80円の切手を10枚と50円の切手を10枚ください。
男： はい。全部で1,300円です。
女： はい。
男： どうもありがとうございました。
★ 女の人は切手を20枚買いました。 （ ○ ）

2) 女： この手紙、エアメールでお願いします。
男： はい。インドですね。190円です。
女： どのくらいかかりますか。
男： 4日ぐらいです。
★ 手紙はインドまでエアメールで8日かかります。 （ × ）

3) 男： どこで日本語を勉強しましたか。
女： 国で日本人の先生に習いました。

男：　毎日勉強しましたか。
女：　いいえ、水曜日と土曜日に勉強しました。
★　　国で1週間に1回日本語を勉強しました。　　　　（ × ）

4.　1）ふたり　2）よんだい　3）じゅうまい　4）いつつ

5.　1）いくつ　2）何時間　3）何枚　4）何台

6.　1）に／×　2）で　3）に／×　4）を／×

7.　1）4人です　2）5つあります　3）650円です
　　4）48時間習いました

第 12 課

1\. 1） きのうの天気はどうでしたか。
…例： よかったです。
2） 先週は忙しかったですか。
…例： はい、忙しかったです。
3） あなたの国と日本とどちらが人が多いですか。
…例： わたしの国のほうが人が多いです。
4） 1年でいつがいちばん好きですか。
…例： 春がいちばん好きです。
5） あなたの国でどこがいちばん有名ですか。
…例： ペキンがいちばん有名です。

2\. 1）
女： 田中さん、新しい車ですね。
男： ええ、先月買いました。
女： 山田さんの車より大きいですね。
男： そうです。少し大きいです。
★ 田中さんの新しい車は山田さんの車より大きいです。 （ ○ ）

2）
女： ミラーさんは海と山とどちらが好きですか。
男： 海のほうが好きです。カリナさんはどちらが好きですか。
女： そうですね。わたしはどちらも好きです。
★ カリナさんは海のほうが好きです。 （ × ）

3）
男： 日本は寒いですね。
女： そうですね。でも来月のほうが寒いですよ。
1年で1月がいちばん寒いですから。
★ 12月は1月より寒いです。 （ × ）

4）
男： 先週京都で友達と祇園祭を見ました。
女： どうでしたか。
男： おもしろかったです。でも人が多かったです。
女： そうですか。

★　祇園祭(ぎおんまつり)はとてもにぎやかでした。　（ ○ ）

5）　男(おとこ)：　きのう初(はじ)めて日本料理(にほんりょうり)を食(た)べました。とてもおいしかったです。
　　女(おんな)：　何(なに)を食(た)べましたか。
　　男(おとこ)：　刺身(さしみ)やてんぷらやすしを食(た)べました。
　　女(おんな)：　何(なに)がいちばんおいしかったですか。
　　男(おとこ)：　そうですね。てんぷらがいちばんおいしかったです。
　　★　日本料理(にほんりょうり)でてんぷらがいちばんおいしかったです。　（ ○ ）

3.　1）　遠(とお)い　2）　少(すく)ない　3）　重(おも)い　4）　嫌(きら)い

4.　1）　よくなかったです　2）　雨(あめ)じゃありませんでした
　　3）　おもしろくなかったです　4）　簡単(かんたん)じゃありませんでした
　　5）　忙(いそが)しくなかったです

5.　1）　どちら　2）　だれ　3）　何(なに)　4）　どこ　5）　いつ（何曜日(なんようび)）

6.　1）　×　2）　○　3）　○　4）　×　5）　×

第 13 課

1. 1）今何がいちばん欲しいですか。
…例：　パソコンが欲しいです。

2）あした何をしたいですか。
…例：　映画を見に行きたいです。

3）今だれにいちばん会いたいですか。
…例：　彼（彼女）に会いたいです。

4）週末はどこへ遊びに行きたいですか。
…例：　海へ行きたいです。

5）飛行機の切符をあなたにあげます。どこへ何をしに行きますか。
…例：　スイスへスキーに行きます。

2. 1）
男：　佐藤さん、今、何がいちばん欲しいですか。
女：　そうですね。新しいパソコンが欲しいです。
男：　パソコンですか。
女：　山田さんは？
男：　わたしは毎日忙しいですから、時間が欲しいです。
★　山田さんは忙しいですから、時間がありません。　（ ○ ）

2）
男：　おなかがすきましたね。
女：　ええ、何か食べたいですね。
男：　この近くにいい店がありますか。
女：　駅の前にいいレストランがあります。
男：　そうですか。じゃ、そこへ行きましょう。
★　2人はレストランへ食事に行きます。　（ ○ ）

3）
女：　山田さん、夏休みはどこか行きますか。
男：　いいえ。
女：　え、どうしてですか。
男：　休みは4日だけですから、うちで休みたいです。
★　山田さんは夏休みにどこも行きません。　（ ○ ）

4）
男：　こんばんは。

女：　こんばんは。お出かけですか。
男：　ええ。駅まで子どもを迎えに行きます。
女：　そうですか。行っていらっしゃい。
★　男の人は駅で子どもに会います。　（ ○ ）

5）　男：　カリナさんは日本へ何の勉強に来ましたか。
女：　美術の勉強に来ました。
男：　そうですか。勉強はどうですか。
女：　日本語がよくわかりませんから、大変です。
★　カリナさんは日本へ日本語の勉強に来ました。　（ × ）

3.　1）帰りたい　2）寝たい　3）飲みたい
4）したくない　5）行きたくない

4.　1）が　2）が／も　3）で／を　4）へ／に　5）に

5.　1）借り　2）買い　3）買い物　4）泳ぎ　5）外国人登録

6.　1）○　2）○　3）×　4）○　5）×

第 14 課

1\. 1） 今雨が降っていますか。

…例： いいえ、降っていません。

2） 今何をしていますか。

…例： 勉強しています。

3） 今何か飲んでいますか。

…例： いいえ、飲んでいません。

4） 今家族は何をしていますか。

…例： 寝ています。

5） あなたのうちの電話番号を書いてください。

…例： 03-3123-1234

2\. 1） 男： 佐藤さんはどこにいますか。

女： 1階でコピーしています。呼びましょうか。

男： ええ、すぐ呼んでください。

女： はい、わかりました。 （ ② ）

2） 女： 新大阪までお願いします。

男： はい。

女： あの信号を左へ曲がってください。

男： はい。

女： あの白いビルの前で止めてください。 （ ③ ）

3\. 1） 女： 雨が降っていますね。いっしょにタクシーで帰りませんか。

男： あのう、きょうは車で来ましたから。いっしょにいかがですか。

女： ああ、そうですか。じゃ、お願いします。

★ 2人はいっしょに車で帰ります。 （ ○ ）

2） 男： 山田です。こんにちは。

今週の土曜日にうちでパーティーをします。

ミラーさんも来てください。木村さんも来ますよ。

またあとで電話をかけます。

★ 土曜日に木村さんのうちでパーティーをします。 （ × ）

3）　男：　カリナさん、その辞書ちょっと貸してください。
　　　女：　すみません。今使っています。
　　　男：　じゃ、あとでお願いします。
　　　★　　男の人はあとで辞書を借ります。　　　　　（ ○ ）

4.　1）　行って　2）　急いで　3）　飲んで　4）　遊んで　5）　待って
　　6）　帰って　7）　買って　8）　貸して　9）　食べて　10）　起きて
　　11）　見て　12）　勉強して　13）　来て

5.　1）　急いで　2）　来て　3）　待って　4）　閉めて

6.　1）　遊んで　2）　降って　3）　して／泳いで

7.　1）　×　2）　×　3）　○　4）　×

第 15 課

1.　1)　美術館で写真を撮ってもいいですか。
　　…例：　いいえ、いけません。
　2)　あなたの国でどんな日本の製品を売っていますか。
　　…例：　自動車を売っています。
　3)　日本でいちばん高い山を知っていますか。
　　…例：　はい、知っています。富士山です。
　4)　家族はどこに住んでいますか。
　　…例：　ロンドンに住んでいます。
　5)　お仕事は何ですか。
　　…例：　銀行員です。アップル銀行で働いています。

2.　1)　男：　ここでたばこを吸ってもいいですか。
　　女：　すみません。あちらのロビーでお願いします。
　　★　ロビーでたばこを吸ってもいいです。　（ ○ ）

　2)　女：　ここに車を止めてもいいですか。
　　男：　すみません。あちらに止めてください。
　　女：　わかりました。
　　★　ここに車を止めてはいけません。　（ ○ ）

　3)　男：　イーさんのご家族は？
　　女：　両親と兄が１人います。
　　　　両親は韓国に住んでいますが、兄はアメリカの大学で
　　　　教えています。
　　★　イーさんの家族はみんなアメリカに住んでいます。　（ × ）

　4)　女：　失礼ですが、お仕事は？
　　男：　パワー電気のエンジニアです。
　　女：　独身ですか。
　　男：　いいえ。妻は大学でドイツ語を教えています。
　　★　男の人の奥さんはドイツ語の先生です。　（ ○ ）

5）　男：　佐藤さん、パワー電気の電話番号を知っていますか。
　　女：　ええ、934の8567です。
　　男：　住所は？
　　女：　ちょっと待ってください。はい、これです。
　　男：　どうも。
　　★　　佐藤さんはパワー電気の電話番号を知っていますが、
　　　　　住所を知りません。　（　×　）

3.　1）　休みます　2）　食事します　3）　来ます　4）　書きます
　　5）　借ります　6）　迎えます　7）　待ちます　8）　話します
　　9）　止めます

4.　1）　店の前です　2）　市役所へ外国人登録に行きます
　　3）　映画を見たいです　4）　わたしのじゃありません

5.　1）　食べてはいけません　2）　帰ってもいいです
　　3）　話してはいけません　4）　飲んではいけません

6.　1）　住んで　2）　作って　3）　結婚して　4）　持って

7.　1）　いいえ、結婚していません。
　　2）　12月24日に仕事をします。
　　3）　はい、知っています。（サンタクロースです。）／いいえ、知りません。
　　4）　はい、もらいました。／いいえ、もらいませんでした。

第16課

1. 1) 朝起きて何をしますか。
   …例： シャワーを浴びて、新聞を読みます。
   2) きのう晩ごはんを食べてから何をしましたか。
   …例： 少しテレビを見て、それから本を読みました。
   3) あなたのうちから空港までどうやって行きますか。
   …例： 地下鉄で梅田へ行って、JRに乗り換えて、空港まで行きます。
   4) あなたの日本語の辞書はどうですか。
   …例： 軽くて、便利です。
   5) お母さんはどんな人ですか。
   …例： 料理が上手で、おもしろい人です。

2. 1) 男： 会社までいつもどうやって行きますか。
   女： JRで大阪まで行って、地下鉄に乗り換えて、日本橋で降ります。
   それから会社まで歩いて行きます。
   男： そうですか。
   (①)

   2) 男： すみません。カリナさんはどの人ですか。
   女： あの人ですよ。
   男： え？
   女： あの背が高くて、髪が短い人です。
   男： どうも。
   (③)

3. 1) 男： 勉強は何時に終わりますか。
   女： 3時に終わります。
   男： じゃ、勉強が終わってから、テニスをしませんか。
   女： いいですね。
   男： じゃ、3時半ごろロビーで待っています。
   ★ 女の人は3時まで勉強して、それからテニスをします。
   (○)

   2) 女： 寮はどうですか。
   男： 静かで、きれいです。

女（おんな）： 駅（えき）から何分（なんぷん）ぐらいかかりますか。
男（おとこ）： バスで20分（ぷん）ぐらいです。
女（おんな）： そうですか。少（すこ）し遠（とお）いですね。
★ 男（おとこ）の人（ひと）の寮（りょう）は駅（えき）から近（ちか）くて、静（しず）かで、きれいです。 （ × ）

3） 女（おんな）： 旅行（りょこう）はどうでしたか。
男（おとこ）： 疲（つか）れました。
土曜日（どようび）に広島（ひろしま）を見（み）て、日曜日（にちようび）に長崎（ながさき）へ行（い）きました。
女（おんな）： そうですか。忙（いそが）しかったですね。
★ 男（おとこ）の人（ひと）は週末（しゅうまつ）に旅行（りょこう）をしました。 （ ○ ）

4. 1） に　2） に　3） を　4） が　5） が
6） を　7） を　8） を／で

5. 1） 行（い）って　2） 出（だ）して　3） 乗（の）って／乗（の）り換（か）えて　4） 浴（あ）びて

6. 1） 学生（がくせい）で　2） よくて　3） 軽（かる）くて　4） にぎやかで

7. 1） ×　2） ○　3） ○　4） ×

第 17 課

1. 1） 外国旅行に何を持って行かなければなりませんか。
   …例： パスポートを持って行かなければなりません。
   2） あなたの国で子どもは何歳から学校へ行かなければなりませんか。
   …例： 6歳から行かなければなりません。
   3） 毎朝何時に起きなければなりませんか。
   …例： 7時に起きなければなりません。
   4） あした出かけなければなりませんか。
   …はい、出かけなければなりません。／いいえ、出かけなくてもいいです。
   5） 毎日日本語を話さなければなりませんか。
   …はい、話さなければなりません。／いいえ、話さなくてもいいです。

2. 1） 女： きれいですね！ あの花の前で写真を撮りましょう。
   男： あ、すみません。そこに入らないでください。
   女： あ、すみません。
   ★ 花の写真を撮ってはいけません。 （ × ）

   2） 男： 今晩いっしょに食事に行きませんか。
   女： すみません。きょうは早く帰らなければなりません。
   男： そうですか。残念ですね。
   女： また今度お願いします。
   ★ 女の人はきょう食事に行きません。 （ ○ ）

   3） 男： 先生、おふろに入ってもいいですか。
   女： いいえ、きょうは入らないでください。それから、2、3日、
   スポーツはしないでください。
   男： はい、わかりました。
   ★ きょうはスポーツをしてはいけません。 （ ○ ）

   4） 女： この薬は朝と晩、ごはんを食べてから、飲んでください。
   男： 昼はいいですか。
   女： ええ、昼は飲まなくてもいいです。
   男： わかりました。

★　男の人は1日に2回薬を飲まなければなりません。　（ ○ ）

5）　女：　あしたの朝は何も食べないでくださいね。9時までに病院へ来てください。
　　男：　あのう、飲み物は飲んでもいいですか。
　　女：　飲み物もだめです。水も飲まないでください。
　　男：　わかりました。
　　★　男の人はあしたの朝、何も食べてはいけませんが、水は飲んでもいいです。　（ × ）

3.　1）行かない　2）脱がない　3）返さない　4）持たない
　　5）呼ばない　6）入らない　7）払わない　8）忘れない
　　9）覚えない　10）起きない　11）借りない　12）見ない
　　13）しない　14）心配しない　15）来ない

4.　1）行かないで　2）なくさないで　3）開けないで
　　4）入らないで　5）心配しないで

5.　1）入れなければなりません　2）来なくてもいいです
　　3）脱がなければなりません　4）返さなければなりません
　　5）出さなくてもいいです

6.　1）○　2）○　3）×　4）×　5）○

第 18 課

1.　1）ダンスができますか。

…例：　はい、できます。

2）何メートルぐらい泳ぐことができますか。

…例：　100メートルぐらい泳ぐことができます。

3）あなたの国で何歳から車を運転することができますか。

…例：　18歳からできます。

4）趣味は何ですか。

…例：　ピアノを弾くことです。

5）毎晩寝るまえに、何をしますか。

…例：　日記を書きます。

2.　1）

女：　趣味は何ですか。
男：　いろいろな国の料理を作ることです。
女：　今までにどんな国の料理を作りましたか。
男：　タイやインドやメキシコや……。
女：　すごいですね。
★　男の人の趣味はいろいろな国の料理を食べることです。

（　×　）

2）

女：　いらっしゃいませ。
男：　コーヒーとサンドイッチをお願いします。
女：　すみませんが、まずあちらでチケットを買ってください。
男：　ああ、そうですか。
★　食べるまえに、チケットを買わなければなりません。　（　○　）

3）

女：　こちらはいちばん新しい製品です。
男：　軽いですねえ。
女：　ええ、使い方も簡単ですよ。
男：　でも、ちょっと高いですね……。カードを使うことができますか。
女：　はい、できますよ。
★　この店で現金で払わなくてもいいです。　（　○　）

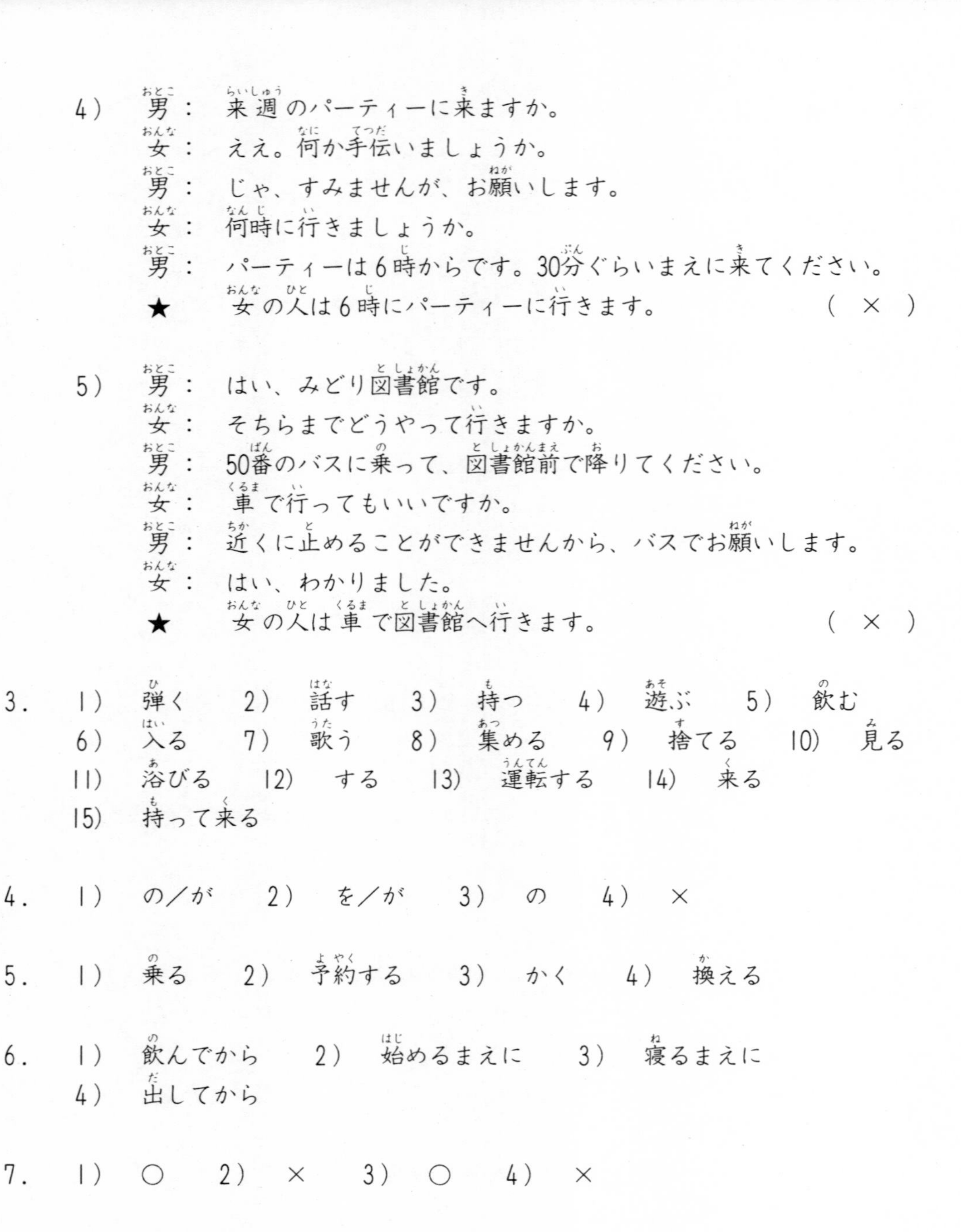

4）　男：　来週のパーティーに来ますか。
　　　女：　ええ。何か手伝いましょうか。
　　　男：　じゃ、すみませんが、お願いします。
　　　女：　何時に行きましょうか。
　　　男：　パーティーは6時からです。30分ぐらいまえに来てください。
　　　★　　女の人は6時にパーティーに行きます。　　　（　×　）

5）　男：　はい、みどり図書館です。
　　　女：　そちらまでどうやって行きますか。
　　　男：　50番のバスに乗って、図書館前で降りてください。
　　　女：　車で行ってもいいですか。
　　　男：　近くに止めることができませんから、バスでお願いします。
　　　女：　はい、わかりました。
　　　★　　女の人は車で図書館へ行きます。　　　（　×　）

3．　1）　弾く　　2）　話す　　3）　持つ　　4）　遊ぶ　　5）　飲む
　　6）　入る　　7）　歌う　　8）　集める　　9）　捨てる　　10）　見る
　　11）　浴びる　　12）　する　　13）　運転する　　14）　来る
　　15）　持って来る

4．　1）　の／が　　2）　を／が　　3）　の　　4）　×

5．　1）　乗る　　2）　予約する　　3）　かく　　4）　換える

6．　1）　飲んでから　　2）　始めるまえに　　3）　寝るまえに
　　4）　出してから

7．　1）　○　　2）　×　　3）　○　　4）　×

第 19 課

1\. 1） 相撲を見たことがありますか。
…例： はい、あります。

2） 日曜日何をしますか。
…例： ビデオを見たり、CD を聞いたりします。

3） 日本で何をしたいですか。
…例： 生け花を習ったり、旅行したりしたいです。

4） 次の誕生日に何歳になりますか。
…例： 22歳になります。

2\. 1）
男： お父さんはお元気ですか。
女： ええ。父はもう81歳になりましたが、母と旅行したり、野菜を作ったりしています。
男： そうですか。
★ 女の人の両親は元気です。 （ ○ ）

2）
女： かぜはどうですか。
男： あまり調子がよくないです。のどが痛いですから、何も食べたくないです。
女： そうですか。病院へ行きましたか。
男： いいえ、薬屋で薬を買いました。
★ 男の人はなかなか元気になりませんから、病院へ行きました。 （ × ）

3）
男： あのう、失礼ですが……。
女： はい。
男： どこかで会ったことがありますね。
女： えっ？
男： 1か月ぐらいまえに飛行機で隣に座りましたね。
女： ああ、そうでしたね。
★ 女の人は男の人に会ったことがあります。 （ ○ ）

4）
女： このりんご、いくらですか。

男：　1つ180円です。
女：　もう少し安くなりませんか。
男：　うーん、じゃ、2つ、300円。
女：　じゃ、4つください。
★　りんごは4つで600円です。　（ ○ ）

5）　女：　山田さん、富士山に登ったことがありますか。
男：　ええ、1回だけあります。
女：　雪がありましたか。
男：　ええ、夏でしたが、ありました。
★　山田さんは夏に富士山で雪を見たことがあります。　（ ○ ）

3.　1）行った　2）働いた　3）泳いだ　4）飲んだ　5）遊んだ
6）持った　7）買った　8）乗った　9）消した　10）食べた
11）寝た　12）見た　13）降りた　14）散歩した　15）来た

4.　1）が　2）に　3）に　4）に

5.　1）行った　2）掃除した／買い物に行った　3）かいた／聞いた
4）見た

6.　1）きれいに　2）暗く　3）眠く　4）雨に

7.　1）×　2）×　3）○

第 20 課

1.　1）　日曜日何をする？
　　　…例：　テニスをする。
　　2）　果物で何がいちばん好き？
　　　…例：　りんごがいちばん好き[だ]。
　　3）　漢字がいくつわかる？
　　　…例：　100ぐらいわかる。
　　4）　あなたの国と日本とどっちが人が多い？
　　　…例：　日本のほうが多い。
　　5）　日本の映画を見たことがある？
　　　…例：　ううん、ない。

2.　1）　女：　あっ、雨！
　　　男：　えっ？　傘、持ってる？
　　　女：　ううん。田中さんは？
　　　男：　僕も持ってない。
　　　★　　2人は傘を持っていません。　（ ○ ）

　　2）　男：　きのう、初めて金閣寺へ行ったよ。行ったことある？
　　　女：　ううん、一度もない。どうだった？
　　　男：　きれいだったよ。また行きたい。
　　　女：　じゃ、来月いっしょに行かない？
　　　男：　うん、いいね。
　　　★　　男の人と女の人はいっしょに金閣寺へ行きました。　（ × ）

　　3）　女：　あしたの晩、暇？　韓国の映画の切符を2枚もらったけど、見に行かない？
　　　男：　いいね。どこで会う？
　　　女：　そうね、6時に梅田駅で。
　　　男：　わかった。じゃ、またあした。
　　　★　　2人はあした6時に会います。　（ ○ ）

　　4）　男：　あしたうちへ遊びに来ない？

女：　行きたいけど、用事があるから。
男：　そう、じゃ、また今度。
★　あした女の人は友達のうちへ行きません。　（ ○ ）

5）　男：　中村さん、趣味は？
女：　スポーツよ。テニス、ゴルフ、スキー。
男：　僕もスポーツが好きだけど、忙しいから…。
テレビのスポーツはよく見るけど。
女：　ふーん。
★　男の人はよくスポーツをします。　（ × ）

3.

泳ぐ	泳がない	(泳いだ)	泳がなかった
(貸す)	貸さない	貸した	貸さなかった
待つ	(待たない)	待った	待たなかった
遊ぶ	遊ばない	遊んだ	(遊ばなかった)
飲む	(飲まない)	飲んだ	飲まなかった
(ある)	ない	あった	なかった
買う	買わない	買った	(買わなかった)
寝る	寝ない	(寝た)	寝なかった
(借りる)	借りない	借りた	借りなかった
する	しない	(した)	しなかった
来る	(来ない)	来た	来なかった
(寒い)	寒くない	寒かった	寒くなかった
いい	よくない	(よかった)	よくなかった
暇だ	暇じゃない	暇だった	(暇じゃなかった)
天気だ	天気じゃない	(天気だった)	天気じゃなかった

4.　1）　かけた？　2）　住んでいる　3）　帰ってもいい？
4）　遊びに行く　5）　もらわなければならない
6）　吸ってはいけない　7）　読むことができない
8）　食べたことがない　9）　欲しい　10）　海だった

5.　1）　もう結婚していますか／いいえ、独身です

2）　パーティーに行きましたか／いいえ、行きませんでした／頭が痛かったですから

3）　元気ですね／ええ、若いですから

6.　1）　○　2）　○　3）　×　4）　○

第21課

1.
1) あしたは天気がいいと思いますか。
…例：　はい、いいと思います。
2) 日本についてどう思いますか。
…例：　交通が便利だと思います。
3) 日本人はあなたの国についてよく知っていると思いますか。
…例：　いいえ、あまり知らないと思います。
4) 日本人はごはんを食べるまえに、何と言いますか。
…「いただきます」と言います。
5) 東京は有名でしょう？
…例：　はい、有名です。

2.
1)
女：　課長は？
男：　2階の会議室です。今会議をしています。
女：　何時ごろ終わりますか。
男：　3時ごろだと思いますが。
女：　そうですか。じゃ、またあとで来ます。
★　女の人はこれから会議室へ行きます。　（ × ）

2)
男1：　次のサッカーの試合は大阪でありますね。
男2：　ええ。日本が勝つと思いますか。
男1：　うーん。どちらも強いですからねえ。
★　男の人は日本が勝つと言いました。　（ × ）

3)
女：　首相が新しい空港を作ると言いましたね。
男：　ええ。
女：　便利になりますね。
男：　わたしは空港は要らないと思います。お金のむだですよ。
★　新しい空港について、男の人と女の人の意見は同じです。
（ × ）

4)
男：　7月に京都で有名なお祭りがあるでしょう？
女：　ああ、祇園祭ですね。

男： 行ったことがありますか。
女： いいえ、ありません。
男： じゃ、ことしいっしょに行きませんか。
女： ええ。
★ 女の人は祇園祭に行きます。 （ ○ ）

5） 男： そのかばん、重いでしょう？ 持ちましょうか。
女： ありがとうございます。でも、そんなに重くないですから、大丈夫です。
男： そうですか。
★ 男の人は女の人のかばんを持ちます。 （ × ）

3． 1） おいしくない 2） 上手だ 3） 役に立つ 4） 帰った

4． 1） 日曜日家族と大阪城公園へ行く 2） おもしろい
3） にぎやかだった 4） 試合を見に行くことができない

5． 1） ある 2） 疲れた 3） 暑い 4） 地図

6． 1） ○ 2） ○ 3） ×

第22課

1\. 1） あなたが生まれた町はどこですか。

…例： 東京です。

2） 今いちばん欲しい物は何ですか。

…例： 車です。

3） 家族で眼鏡をかけている人がいますか。

…例： いいえ、いません。

4） 今車を買うお金がありますか。

…例： はい、あります。

5） レストランで食べる料理とうちで食べる料理とどちらが好きですか。

…例： うちで食べる料理のほうが好きです。

2\. 1） 女： これ、わたしが作ったケーキですけど、いかがですか。

男： いただきます。チョコレートケーキですね。

うーん。おいしいですね。

★ 女の人はチョコレートケーキを作りました。 （ ○ ）

2） 男： あっ、そこに傘を置かないでください。

女： すみません。傘を置く所はどこですか。

男： 階段のうしろにありますから、そこに置いてください。

女： わかりました。

★ 傘は階段のうしろに置かなければなりません。 （ ○ ）

3） 女： ミラーさん、ここにあった新聞は？

男： 山田さんが持って行きましたよ。

女： あ、そうですか。

★ ミラーさんは今新聞を読んでいます。 （ × ）

4） 女： 山田さん、あしたテニスに行きませんか。

男： あしたですか。うーん、あしたはちょっと……。

子どもと遊びに行く約束がありますから。

女： そうですか。じゃ、また今度。

★ 山田さんはあした子どもと遊びますから、テニスに行きません。

（ ○ ）

5） 男： 旅行の写真ですね。この人はだれですか。
女： どの人ですか。
男： 佐藤さんのうしろにいる、髪が短い人です。
女： ああ、カリナさんです。
★ カリナさんは髪が短いです。 （ ○ ）

3． 1） 庭がある 2） お酒を飲まない
3） 図書館で借りた 4） マリアさんから来た

4． 1） どこ 2） どう 3） どれ

5． 1） これはいつ買った牛乳ですか
2） これはだれが作ったケーキですか
3） これはだれにもらったプレゼントですか

6． 1） 友達と映画を見る 2） 市役所へ行く 3） 昼ごはんを食べる

7． 1） × 2） ○ 3） ×

第 23 課

1. 1) 子どものとき、どこに住んでいましたか。
   …例： 大阪に住んでいました。
   2) 外国へ行って、道がわからないとき、どうしますか。
   …例： 近くにいる人に聞きます。
   3) 暇なとき、何をしますか。
   …例： 音楽を聞いたり、本を読んだりします。
   4) どんなとき、タクシーに乗りますか。
   …例： 荷物が多いとき、乗ります。
   5) たくさんお酒を飲むと、どうなりますか。
   …例： 頭が痛くなります。

2. 1) 女： すみません、国際電話をかけるとき、どうしますか。
   男： どこにかけますか。
   女： アメリカの友達です。
   男： じゃ、まず001を押して、次にアメリカの国の番号1を押します。
   それから友達の番号を押します。
   女： わかりました。どうもありがとうございました。 （ ② ）

   2) 男： すみません。みどり図書館はどこですか。
   女： 駅の前の道をまっすぐ行くと、橋があります。
   男： 橋ですね。
   女： ええ。その橋を渡って、100メートルぐらい行くと、左にあります。 （ ① ）

3. 1) 女： すみません。この機械の使い方を教えてください。
   男： はい。まずここにお金を入れてください。
   次にこのボタンを押すと、カードが出ます。
   女： このボタンですね。
   わかりました。ありがとうございました。
   ★ ボタンを押してから、お金を入れると、カードが出ます。
   （ × ）

2） 女： 最近みんな電話を持っていますね。
男： ええ、旅行や出張のとき、便利ですから。
わたしは出張するとき、パソコンも持って行きます。
★ 男の人は出張のとき、電話とパソコンを持って行きます。

（ ○ ）

3） 女： 山田さん、それは何ですか。
男： 中国のお茶です。体の調子が悪いとき、飲みます。
女： それもお茶ですか。
男： いいえ、これは薬です。お酒を飲んだとき、飲みます。
★ 山田さんはお酒を飲んだとき、中国のお茶を飲みます。

（ × ）

4． 1） 借りる 2） 渡る 3） ない 4） 出ない

5． 1） 疲れた 2） 出る 3） 起きた 4） 寝る

6． 1） 暇な 2） 独身の 3） 若い

7． 1） 曲がる 2） 回す 3） 入れる

8． 1） × 2） × 3） × 4） ×

第 24 課

1.　1）　子どものとき、お母さんは甘いお菓子をくれましたか。
　　　…例：　いいえ、くれませんでした。

　　2）　あなたは今お母さんに何をしてあげたいですか。
　　　…例：　旅行に連れて行ってあげたいです。

　　3）　日本人の友達にあなたの国の料理を作ってあげたことがありますか。
　　　…例：　いいえ、ありません。

　　4）　お金がないとき、だれに貸してもらいますか。
　　　…例：　兄に貸してもらいます。

　　5）　子どものとき、お父さんはよく遊んでくれましたか。
　　　…例：　はい、よく遊んでくれました。

2.　1）　女：　いい時計ですね。どこで買いましたか。
　　　男：　これですか。誕生日に兄がくれました。
　　　女：　そうですか。
　　　★　男の人はお兄さんの誕生日に時計をあげました。　（　×　）

　　2）　女：　あ、雨ですね。ミラーさん、傘を持っていますか。
　　　男：　いいえ。
　　　女：　じゃ、わたしのを貸しましょうか。
　　　男：　ええ。でも、佐藤さんはどうしますか。
　　　女：　姉が車で迎えに来てくれますから、大丈夫です。
　　　★　佐藤さんは車で帰ります。　（　○　）

　　3）　男：　すみませんが、写真を撮ってください。
　　　女：　いいですよ。じゃ、撮りますよ。
　　　男：　どうもありがとうございました。
　　　女：　いいえ、どういたしまして。
　　　★　女の人は男の人に写真を撮ってもらいました。　（　×　）

　　4）　男：　すみません。この近くに郵便局がありますか。
　　　女：　ええ、ありますよ。
　　　　　わたしも近くまで行きますから、いっしょに行きましょう。

男： すみません。

★ 女の人は郵便局の近くまで男の人といっしょに行って
あげます。 （ ○ ）

5） 女： きのうはわたしの誕生日でした。
男： そうですか。おめでとうございます。
パーティーをしましたか。
女： いいえ。神戸へ食事に行きました。
友達が連れて行ってくれました。

★ 女の人はきのう友達と神戸へ行きました。 （ ○ ）

3． 1） くれました 2） もらいました 3） くれます 4） もらいました

4． 1） ○ 2） ○ 3） ×

5． 1） を 2） が／が 3） に 4） に

6． 1） × 2） × 3） × 4） ○

第 25 課

1.　1）　もし1,000万円あったら、何をしたいですか。
　　　　…例：　いろいろな国を旅行したいです。

　　2）　日曜日いい天気だったら、どこへ遊びに行きたいですか。
　　　　…例：　京都へ遊びに行きたいです。

　　3）　体の調子が悪かったら、どうしますか。
　　　　…例：　仕事を休みます。

　　4）　第25課の問題が終わったら、何をしますか。
　　　　…例：　テレビを見ます。

　　5）　年を取っても、働きたいですか。
　　　　…例：　はい、働きたいです。

2.　1）　男：　カリナさん、1年休みをもらったら、何をしたいですか。
　　　　女：　外国の美術館へ絵を見に行きたいです。
　　　　　　　ミラーさんは？
　　　　男：　わたしはいろいろな国へビールを飲みに行きたいです。
　　　　★　　長い休みがあったら、カリナさんは絵をかきに行きます。
　　　　　　　（　×　）

　　2）　男：　あした暇だったら、京都へ行きませんか。有名なお祭りがあります。
　　　　女：　いいですね。雨が降っても、ありますか。
　　　　男：　雨だったら、ありません。
　　　　女：　そうですか。
　　　　★　　あした雨が降ったら、お祭りがありません。　（　○　）

　　3）　女：　いつインドへ旅行に行きますか。
　　　　男：　夏休みになったら、すぐ行きます。
　　　　女：　いつ帰りますか。
　　　　男：　そうですね。お金を全部使ったら、帰ります。
　　　　女：　そうですか。気をつけてくださいね。
　　　　★　　男の人は旅行から帰ったら、お金がありません。　（　○　）

4） 女： 吉田さん、車を持っていますか。
男： いいえ。
女： 車があったら、便利ですよ。
男： そうですか。あっても、むだだと思います。
女： どうしてですか。
男： 大阪の町は車が多いですから、自転車のほうが速いですよ。
★ 男の人は車がありますが、自転車に乗ります。 （ × ）

5） 女： お釣りが出ません。
男： このボタンを押しましたか。
女： ええ、押しても、出ません。
男： じゃ、故障ですね。店の人に言いましょう。
★ ボタンを押しましたが、お釣りが出ませんでした。 （ ○ ）

3． 1） 使った 2） 来なかった 3） 無理だった 4） よかった
5） 考えて 6） 便利で

4． 1） c 2） a 3） e 4） f 5） b

5． 1） 会議が終わったら、すぐ行きます
2） 大学を出たら、すぐ結婚したいです
3） 昼ごはんを食べたら、すぐ出かけましょう
4） 国へ帰ったら、すぐ始めます

6． 1） ○ 2） × 3） ○ 4） ○ 5） ×

復習 A

1\. 1）の　2）も　3）の　4）の　5）の　6）の
7）は　8）を　9）から／まで　10）の／に
11）から／まで　12）から　13）で／へ　14）に／と／へ
15）で／と／を　16）も

2\. 1）[朝] 7時に朝ごはんを食べます
2）12時から1時までです
3）終わります
4）6時にうちへ帰ります
5）[晩] 8時から10時まで本を読みます

3\. 1）何歳　2）何　3）何　4）だれ　5）だれ
6）どこ　7）どちら（どこ）　8）どちら　9）どこ
10）いくら　11）何番　12）何時　13）何時
14）何時／何時　15）何曜日　16）何月／何日　17）どこ
18）いつ　19）だれ　20）何　21）何　22）どこ
23）何

4\. 1）です／じゃありません　2）ます／ません　3）ます／ません
4）ました／ませんでした　5）ません／ましょう

復習(ふくしゅう) B

1\. 1） 何(なん)　2） だれ　3） 何(なん)　4） どう　5） どんな
6） どれ　7） どんな　8） どうして　9） だれ　10） 何(なに)
11） どこ　12） どこ　13） いくつ　14） 何人(なんにん)　15） 何台(なんだい)
16） どのくらい（何時間(なんじかん)）　17） どのくらい（何年(なんねん)）　18） どう
19） どう　20） 何(なに)

2\. 1） で　2） に　3） で　4） に（から）　5） で
6） も　7） が　8） が　9） が　10） が
11） が／から　12） の／に　13） と／の／に　14） に／も
15） の／に／も　16） は／に　17） に／が　18） から／まで／で
19） が　20） に　21） と／と／が　22） より
23） で／が　24） が　25） が　26） へ／に　27） で／に
28） へ／の／に　29） を

3\. 1） b／a　2） a　3） b　4） b　5） a　6） b

復習(ふくしゅう) C

1. 1) が　2) と　3) を　4) の／を　5) に　6) に
7) に　8) が／が　9) に　10) を／へ　11) が
12) で／が　13) の　14) に　15) に

2. 1) 入(はい)り／し　2) 働(はたら)き　3) 迎(むか)え　4) 勉強(べんきょう)　5) 貸(か)して
6) かけて　7) つけ　8) 使(つか)って　9) 結婚(けっこん)して
10) 会(あ)って／見(み)て　11) 食(た)べて　12) 撮(と)ら　13) 払(はら)わ
14) 来(こ)　15) 泳(およ)ぐ　16) かく　17) 入(はい)る　18) 乗(の)った
19) 書(か)いた／聞(き)いた　20) 頭(あたま)がよくて　21) 静(しず)かで　22) 安(やす)く
23) 上手(じょうず)に

3. 1) b　2) b　3) a　4) a　5) a　6) a
7) a　8) b

復習(ふくしゅう)　D

1.　1)　b　　2)　b　　3)　a　　4)　c　　5)　b
　　6)　a　　7)　c　　8)　c　　9)　c／a　　10)　c
　　11)　a　　12)　c

2.　1)　b　　2)　c　　3)　a

3.

おきます	~~おく~~	おかない	おいた	おかなかった
いきます	いく	~~いかない~~	いった	いかなかった
いそぎます	~~いそぐ~~	いそがない	いそいだ	いそがなかった
のみます	のむ	のまない	~~のんだ~~	のまなかった
~~あそびます~~	あそぶ	あそばない	あそんだ	あそばなかった
とります	とる	~~とらない~~	とった	とらなかった
~~あります~~	ある	ない	あった	なかった
かいます	かう	かわない	かった	~~かわなかった~~
~~たちます~~	たつ	たたない	たった	たたなかった
はなします	~~はなす~~	はなさない	はなした	はなさなかった
たべます	たべる	たべない	~~たべた~~	たべなかった
おぼえます	おぼえる	~~おぼえない~~	おぼえた	おぼえなかった
みます	みる	みない	みた	~~みなかった~~
できます	できる	~~できない~~	できた	できなかった
~~べんきょうします~~	べんきょうする	べんきょうしない	べんきょうした	べんきょうしなかった
~~きます~~	くる	こない	きた	こなかった
~~いいです~~	いい	よくない	よかった	よくなかった
いきたいです	~~いきたい~~	いきたくない	いきたかった	いきたくなかった
~~ひまです~~	ひまだ	ひまじゃない	ひまだった	ひまじゃなかった
あめです	あめだ	~~あめじゃない~~	あめだった	あめじゃなかった

4.　1)　持(も)っていない　　2)　親切(しんせつ)で／おもしろくて／いい人(ひと)だ
　　3)　知(し)らない　　4)　大変(たいへん)だ　　5)　来(こ)ない　　6)　暇(ひま)
　　7)　着(き)ている　　8)　ない　　9)　読(よ)みたい　　10)　あげる
　　11)　買(か)い物(もの)する

復習(ふくしゅう) E

1. 1) c　2) c　3) c　4) a　5) a　6) b
   7) b　8) c　9) a　10) c　11) c　12) b

2. 1) 散歩(さんぽ)する　2) 暇(ひま)な　3) 病気(びょうき)の　4) 回(まわ)す
   5) 手伝(てつだ)って　6) 来(き)て　7) 教(おし)えて　8) あった
   9) 着(つ)かなかった　10) 暑(あつ)かった　11) 雨(あめ)だった　12) 考(かんが)えて
   13) 忙(いそが)しくて　14) 嫌(きら)いで　15) 日曜日(にちようび)で

3. 1) a　2) a　3) a　4) b
   5) b　6) b　7) b